ullstein

Renate Bergmann, geb. Strelemann, 82, lebt in Berlin-Spandau. Sie war Trümmerfrau, Reichsbahnerin und hat vier Ehemänner überlebt. Renate Bergmann ist Haushalts-Profi und Online-Omi. Ihre riesige Fangemeinde freut sich täglich über ihre Tweets und Lebensweisheiten im »Interweb« – und über jedes neue Buch.

Torsten Rohde, Jahrgang 1974, hat in Brandenburg/Havel Betriebswirtschaft studiert und als Controller gearbeitet. Sein Twitter-Account @RenateBergmann entwickelte sich zum Internet-Phänomen. Es folgten mehrere Bestseller unter dem Pseudonym Renate Bergmann und viele ausverkaufte Tourneen.

Renate Bergmann

Dann bleiben wir eben zu Hause!

Mit der Online-Omi durch die Krise

Ullstein

Besuchen Sie uns im Internet:
www.ullstein.de

Originalausgabe im Ullstein Taschenbuch
10. Auflage Juli 2020
© Ullstein Buchverlage GmbH, Berlin 2020
Umschlaggestaltung: zero-media.net, München
Titelabbildung: © Rudi Hurzlmeier
Satz: Pinkuin Satz und Datentechnik, Berlin
Gesetzt aus der Amasis MT
Druck und Bindearbeiten: CPI books GmbH, Leck
ISBN 978-3-548-06434-5

Hier schreibt Renate Bergmann, guten Tag.

Hätten Sie geglaubt, dass man mal vorm REWE mit anderthalb Meter Abstand in der Schlange auf Einlass warten muss, mit Mundschutz und Handschuhen, als wollte man zu einem frisch Operierten?

Oder dass Toilettenpapier nur noch rollenweise abgegeben wird?

Ach, hören Se mir auf, manche Tage ist man ja ganz durch mit den Nerven, und doch darf man diese nicht verlieren. Wir müssen alle vernünftig sein und Einschränkungen hinnehmen, denn nur so geht es. Und wenn wir dabei, auch wenn wir auf Abstand bleiben müssen, doch zusammenhalten, dann kriegen wir das auch hin.

Während ich hier vor dem Klappcomputer sitze und tippe, dürfen wir nicht vor die Türe. Nur alleine. Ich gehe aber gar nicht raus, wissen Se, in meinem Alter ist man Risiko. Also, da ist es für mich noch viel gefährlicher als für die Jungschen … deshalb bleibe ich drinnen und basta! Eine Renate Bergmann ist eine vernünftige Person, die einsieht, wann sie sich zu fügen hat.

Gucken Se, ich bin in der glücklichen Situation, dass der Stefan, was mein Neffe ist, mich regelmäßig mit allen Einkäufen versorgt und ich nicht rausmuss. Da bin ich sehr dankbar, auch wenn es schwerfällt, auf dieses Stückchen Freiheit zu verzichten. Wo ich doch sonst keine bin, die den lieben langen Tag auf der Couch rumlungert. Nee, ich bin unterwegs, so oft es geht und soweit meine 82 Jahre alten Knochen es zulassen. Es gibt keine Feier im Rentnerclub, bei der ich nicht an der Kaffeetafel sitze in normalen Zeiten. Aber das haben wir jetzt auch alles abgesagt, wissen Se ... mit anderthalb Metern Abstand ist es keine richtige Polonaise.

Na ja.

»Dann bleiben wir eben zu Hause!«, rufe ich dem Virus trotzig entgegen und möchte Ihnen ein bisschen erzählen, wie meine Leutchen das alles versuchen in den Griff zu kriegen, wie ich den Tag rumkriege, und hier und da werde ich Ihnen auch ein paar kleine Tipps mit auf den Weg geben. Ich war doch nicht umsonst auf der Bräuteschule und habe Stäbchenmaschen gelernt!

Ich hoffe und wünsche sehr, dass wir alle vernünftig sind.

Dass wir zusammenstehen, auch wenn wir Abstand halten müssen.

Dass wir schon bald wieder das Leben leben können, wie wir es lieben, und dass wir unsere Kinder und Enkel in die Arme schließen können.

In diesem Sinne sage ich: Passen Se auf sich und Ihre Lieben auf, und bleiben Se gesund!

Ihre Renate Bergmann

Wie fängt man denn bloß an?

Eigentlich müsste ich Ihnen erzählen, wie das alles gekommen ist, aber das wissen Se selbst ganz genau, das muss ich Ihnen nicht aufschreiben. Virus, China, Nachrichten, Grippe … jeden Tag kam die Seuche näher. Erst war es noch weit weg und bei uns nur ganz vereinzelt ein Thema, da haben die Menschen noch Karneval gefeiert und mit Zichtausenden im Fußballstadion gejubelt, aber ganz schnell wurde klar, dass das nicht nur ein bisschen Schnupfen ist, sondern sehr viel gefährlicher, und dann überschlugen sich die Ereignisse.

Soll mir keiner erzählen, er hätte das nicht mitgekriegt, im Fernsehen lief es rauf und runter. Ruck-zuck sprachen auch die ersten Professoren – und es sprechen gerade sehr viele Professoren im Fernsehen! – davon, dass insbesondere ältere Menschen und welche mit einer dicken Akte bei der Doktorschen besonders gefährdet sind und am besten drinbleiben sollen.

Das machte mir nicht direkt Angst, aber ich überlegte mir schon, dass es besser wäre, vorsichtig zu sein. Wissen Se, ich habe ein bisschen Zucker, und wenn die Birke blüht, habe ich verquollene Glüstern und kriege schwer Luft. Ich wollte die Doktorsche nicht mit Fragen zu diesen Lappalien belästigen und entschied, dass ich besser in meinen vier Wänden bleibe in der nächsten Zeit. Wissen Se, ich bin jetzt 82 Jahre alt geworden, ich habe den Krieg, die »Lindenstraße« und vier Ehemänner überlebt – ich gehe doch kein Risiko ein! Nee, ich will die paar schönen Jährchen, die mir jeder Doktor immer wieder prophezeit, auch auskosten.

Deshalb war es gar nicht nötig, dass die jungen Leute mir quasi Hausarrest verordneten. Wir müssen ja zum Weltretten nicht mal vor die Türe. Es reicht, wenn wir zu Hause bleiben! Na, und die Studenten, die sowieso meist nur auf ihrer Couch rumlungern und Netzfix gucken, für die ist es auch keine Entbehrung.

Mehrfach am Tag hatte ich Kirsten am Fernsprecher. Kirsten ist meine Tochter, sie wohnt ein Stück weg von Berlin, im Sauerland. Das ist gar nicht schlimm, wissen Se, es gibt Menschen, mit denen kommt man auf Distanz besser zurecht. Und auch wenn Kirsten meine Tochter ist, trifft das auf sie zu. Sie ist ein herzensguter Mensch, aber ein bisschen überdreht. Sie macht viel mit Spirituell und so, wissen Se. Sie rückt Gläser und meditiert mit Hunden, sie isst nur Gemüse und klopft ständig an die Klangschale. Mehr will ich gar nicht sagen, ich denke, Se sind im Bilde.

Das Mädel hat mir jedenfalls lange und wie einem kleinen Kind erklärt, was ich aus dem Fernsehen schon wusste, und verordnete mir sozusagen Stubenarrest. Im Grunde ziemlich frech, denn schließlich bin ich ja eine mündige Person, auch wenn meine Tochter das von Anwalts wegen schon mal ändern wollte. Kirsten rief jedenfalls nun mehrmals am Tag hier bei mir an und kontrollierte, ob ich wohl auch zu Hause war. Es war fast wie früher, als ich ihr Stubenarrest gegeben habe und auch von Arbeit aus der Reichsbahndirektion zu Hause antelefoniert habe. Nur andersrum.

Aber nicht nur, dass sie Kontrollanrufe machte, nee, sie wollte auch mit mir turnen. »Damit du beweglich bleibst, Mama, und damit sich die Muskulatur nicht abbaut. Wenn man nicht rausgeht und nur im Sessel sitzt, geht das ganz schnell. Denk an deine Hüfte, Mama, und an deinen Zucker!«, belehrte sie mich. Der Zucker hat zwar überhaupt gar nichts mit den Gelenken zu tun, aber das sagt sie immer und ließ es auch diesmal nicht weg. Was meinen Se, was ich hier turne vor dem Computer! Nicht nur mit Kirsten, nee.

Fräulein Tanja, die unsere Kardiotruppe leitet und auch die Wassergymnastik macht, ist ebenso vorne dabei mit neuen Ideen. Das erlebt man ja gerade überall: Wenn die Leute nicht rausdürfen, kriegen se eben alles in die Stube geliefert über den Computer. Genauer gesagt über Skeip. Das ist das

Blaue. Damit kann man Fernsehtelefonieren! Grün ist Wotzäpp, da kann man schreiben und Bilder schicken. So tanzende Häschen mit Glitzer an den Öhrchen. Über den Skeip hat Fräulein Tanja uns Alte in ihren Wohnstuben versammelt, und dann mussten wir in Ermangelung von Keulen Seltersflaschen schwingen. Das geht auch, es macht sogar noch mehr Spaß! Ach, das war so nett, als wir Kniebeugen machen mussten! Herrn Heckenschrot ist die Hosennaht geplatzt, da hätten Se mal hören sollen, wie Gertrud gejuchzt hat. Hihi.

Sitzgymnastik ist nicht anstrengend, und man muss nicht aufpassen, dass Gertrud einem den Medizinball an die Nase bumst wie im Turnsaal sonst. Und so sieht man auch mal die Wohnstuben der anderen. Frau Astgabel hatte nicht Staub gewischt, das sah man ganz genau! Ich muss mir da zwar keine Sorgen machen, wissen Se, bei mir ist es immer sauber. Trotzdem gehe ich jetzt immer noch mal mit der Bürste über die Teppichfransen, bevor es losgeht mit dem Sport. Die ollen Frauen gucken doch auf so was!

Ja, das mit dem Skeip, das hatte ich ja schon lange, nicht erst seit dem Conora. Das hatte mir Stefan schon vor Jahren aufgespielt. Doch jetzt fingen auf einmal alle an, sich damit zu winken und den Enkelkindern »Gute Nacht« zu wünschen. Stefan richtete das auch auf den Scheibchentelefonen bei Ilse und Kurt, was ein befreundetes Ehepaar hier in

Spandau ist, sowie bei meiner Freundin Gertrud ein und nahm die entsprechenden Schulungen vor. Das klappte leidlich, aber da Ariane, Stefans Angetraute, sogar eine Bedienungsanleitung auf Papier geschrieben und diese laminiert hatte, kamen sowohl Gertrud als auch Ilse und Kurt halbwegs zurecht. Gut, die Gläsers – also Ilse und Kurt – haben bis heute nicht ganz verstanden, was der Sinn von Fernsehtelefonieren ist. Sie legen den Händiapparat immer auf den Wohnstubentisch und rufen begeistert in die Mitte, was sie zu sagen haben. Das ist ein bisschen langweilig, wenn man eine Stunde lang nichts sieht als die Nasenflügel von Kurt und den Kronleuchter (den Ilse, unter uns gesagt, auch mal wieder abstauben müsste. Es ist nicht so schlimm wie in der Anbauwand von Frau Astgabel, aber trotzdem. Die Frau ist ja nicht der Maßstab.)

Es gibt ja immer was zu erzählen! Wir Alten verquasseln uns oft eine ganze Stunde lang. Man findet doch immer ein Thema: Der Conora, das Wetter, die Enkelkinder, na und dann ist Kurts beste Preishäsin auch noch tragend.

Ilse und Kurt gehen auch nicht raus. Sie haben den Vorteil, dass sie ein Haus mit Garten haben, und in den gehen sie auch, aber das Grundstück verlassen sie nicht. Die haben ebenfalls von ihrer Tochter Anweisung gekriegt, im Gehege zu bleiben. In den Garten dürfen sie, aber nicht dichter als anderthalb Meter an die Hecke ran. Abstandsgebot! Da hält sich Kurt auch dran. Er hat sich einen alten Besenstiel genau auf einsfuffzich abgesägt, und damit misst er nach. So weit vom Zaun weg steht mittlerweile auch der Rasen höher bei Gläsers. Kurt hat angeboten, dass Sigrid, was die Große von Gläsers ist, den Knüppel auch zum Einkaufen mitnehmen darf. Den soll sie um sich rumwirbeln wie eine Turnerin die Keulen, damit die Leute auf Abstand bleiben, schlug der besorgte Kurt vor. Sigrid hat aber dankend abgelehnt und gesagt, Mundschutz und Gummihandschuhe wären schon verrückt genug. Was sie und auch Stefan berichten, klingt ja geradezu abenteuerlich.

Stefan ist sehr auf mich bedacht. Der ruft jeden Tag an, noch öfter als Kirsten! Aber auch zu den unmöglichsten Zeiten, da nimmt der keine Rücksicht. Neulich habe ich schon gesagt: »Stefan, jetzt ist es aber auch mal gut. Du rufst sonst auch nicht jeden Tag an!« Wissen Se, was soll ich ihm denn auch immerzu erzählen? Dass es einem gut geht und was man zum Mittag hatte? Vor allem läutet der Bengel immer an, wenn gerade meine Serie läuft. »Der Bulle von Rosenheim«, ach, das gucke ich zu gerne.

Der Stefan und die Ariane, die werden ja nun auch hart geprüft. Wissen Se, unsereins muss nur die Zeit rumkriegen, aber die Jüngeren müssen von zu Hause aus arbeiten. Die stehen ja beide im Beruf, der Stefan und die Ariane. In normalen Zeiten bringt morgens einer die Kinder in die Kita, dann hetzen sie zur Arbeit, und am späten Nachmittag holt sie einer ab. Im besten Fall klappt das, und sie merken sich, wer dran ist. Das kommt immer darauf an, wie spät es bei wem wird, weil der Scheff noch was will oder sie dringende Sitzungen haben. Mietings. Außer Mittwoch, da muss Stefan immer pünktlich die Mädchen holen, weil Ariane Ski-Gong hat. Sogar im Sommer!

Na ja.

Jedenfalls haben die üblicherweise gut zu tun, der Tag ist organisiert. Dazu noch der Haushalt, das Einkaufen, das Kochen ... die sehen sich manche Tage nur im Vorbeilaufen. Und nun stellen Se sich mal die Umstellung vor, wo alle vier den ganzen Tag zu Hause sind! Viel müssen Se sich da bestimmt nicht vorstellen, die meisten haben das ja selbst gerade erlebt. Es hieß ja gleich am Anfang: »Sehen Se zu, dass Ihr Scheff Ihnen Heimbüro erlaubt, und arbeiten Se von der Wohnstube aus.« Das ist bestimmt eine feine Sache. Es geht bei vielen, aber lange nicht bei allen. Die Jungs von der Müllabfuhr müssen trotzdem raus, genau wie die Arzthelferinnen oder auch Herr Distelfink. Der Herr Distelfink wohnt im Haus nebenan und ist Gerichtsmediziner. Nee, also da wäre ich entschieden dagegen, dass der sich Arbeit mit nach Hause nimmt!

Ariane sagt, die ersten beiden Tage war es wie Urlaub. Sie hat die Kinder versorgt, die haben schön gespielt, und Stefan und sie haben ihre Klappcomputer aufgebaut. Sie hatten erst mal damit zu tun, alles richtig einzustellen und der truseligen Marina aus der Personalabteilung zu erklären, wie Fernsehtelefonieren geht, und dann haben sie tatsächlich ein bisschen was gearbeitet.

Das ging zwei Tage gut.

Dann waren die Kinder durch mit dem Spielen. Lisbeth sah überhaupt nicht ein, dass sie ein Puzzlespiel mit 100 Teilen zusammenbauen sollte. »Ich habe es doch nicht kaputtgemacht, warum soll ich das dann zusammenbauen?«, hat se gefragt und sich zickig gestellt. Es war ein Bild der Erdkarte und im Grunde gar nicht schwer zu legen, da jedes Land eine andere Farbe hat. Nur Russland ist groß, da muss man ein bisschen gucken. Ariane hat dann den Rand gelegt, um Lisbeths Interesse ein bisschen zu wecken, aber trotzdem wollte die kleine Dame nicht. Sie hat mit Puzzleteilen nach Ariane geworfen und mit den Füßen aufgestampft, weil sie auf den Spielplatz wollte zu ihrer Freundin Li... La... Lau... fragen Se mich nicht, irgendwas mit L. Die heißen doch alle irgendwas mit L. Einen richtigen Dickkopf hat sie, unsere kleine Madame. Trotzdem ist sie natürlich wissbegierig und im Fragealter. »Waruuuuuum?« ist ihr Lieblingswort. Sie zieht das mit noch mehr »uuuu« als ich hier tippen kann. Ich sage Ihnen, auch in Zeiten, wo man rausdarf und sich aus dem Weg gehen kann, bohrt sich das fuffzichste »Waruuuuuuum?« ins Ohr wie der Zahnarztbohrer in den Nerv, der nicht betäubt wurde. Die Kleine darf aber nicht einfach nur beschäftigt und vor dem Fernseher geparkt werden, nein, man muss auf sie eingehen und die Fragen so gut es geht beantworten. Es soll ja mal was aus ihr werden! Aber wenn man noch ein zweites kleines Mädchen zu Hause hat wie unsere Agneta,

die gerade trocken werden soll und schon stunden-
weise ohne Windel umherflitzt, na, das wird dann
schwierig. Ariane erzählte neulich, das Kind hätte
sich vermeintlich brav in der Badestube aufs Töpfchen gesetzt und gemacht, und als Ariane gerade
am Computer mit Video telefoniert hat mit ihren
Kollegen, kam die Kleine rein und plärrte ganz
stolz: »Neta hatte hückt.« Das sagt sie so, das ist die
Erfolgsmeldung. Arianes Kollegen haben sie auch
alle gelobt im Skeip, und als fertig konferiert war, ist
Ariane ins Bad geflitzt und wollte ... also, die Sache
musste ja bereinigt werden, sozusagen. Agneta bekam den Po abgeputzt. Die Spuren waren eindeutig,
der Geschäftsabschluss war erfolgreich. Nur das
Töpfchen war leer, und deshalb verbrachten Stefan
und Ariane den halben Vormittag mit der Suche
nach dem ... also, was die Agneta da »gehückt«
hatte. Fix und fertig waren sie mit den Nerven, und
als Stefan in der Küche endlich das Gekötel fand,
musste er zwar kurz würgen, aber trotzdem war die
Erleichterung groß. Ja, es ist nicht einfach, gleichzeitig zu arbeiten, zwei Kinder zu hüten, den Haushalt leidlich in Ordnung zu halten und dabei nicht
die Nerven zu verlieren.

Na, und wie es der Zufall so will, fernsehtelefo-
nierte der Scheff Ariane just in dem Moment an,
wo Agneta den Hintern gewischt bekommen und
Lisbeth mit ihrem Puzzle geschmissen hatte. Ariane
ist an den Computer gerannt, hat sich die Kopf-
hörer in die Ohren gefummelt und ist rangegangen.
Der Scheff hat etwas irritiert geguckt, weil sie noch

Puzzleteile in den Haaren hängen hatte. »Sie haben da den Osten Grönlands am Pony«, hat er gesagt. Das ist ein Satz, den hört man sonst auch selten vom Vorgesetzten! Er hat aber gelacht und zeigt auch viel Verständnis. Wissen Se, die Situation ist nicht so, dass man in jedem Moment nach Vorschrift arbeiten kann. Da müssen alle mal ein Auge zudrücken. Der Scheff hatte übrigens Ketchup auf dem Hemd.

Stefans Kollege hatte am nächsten Tag nicht mal eine Hose an. Der ist gleich aus dem Bett an den Computer gewankt, mit seiner Kaffeetasse, und hat nur notdürftig die Haare glatt gestrichen. Stefan sagte, das Pech war, dass er eine scharfe Verbindung hatte und es jeder sehen konnte, dass er sogar noch Schlaf in den Augen hatte. Und als ein anderer Kollege dann nach einem Dokument fragte, hat der gestammelt: »Das müsste ich ... das habe ich ... Moment, das kann ich holen«, und ist aufgestanden, da konnte jeder sehen, dass er nur eine Unterhose anhatte. (Wenn die mal sauber war!)

Es wurde wohl nur kurz gelacht in der Runde, weil nämlich die Katze vom Scheff kam, sich neben seine Tastatur legte und anfing, ihm die Hand zu lecken. Da machten alle kollektiv »Ohhhhh, wie süüüüüß«. Die Autorität vom Scheff leidet aber ganz erheblich, wenn so was passiert. Stefan sagt, er musste sich innen auf die Wangen beißen und es wird wohl noch auf Jahre hinaus Thema sein.

Ariane sagt, man lernt aber auch aus den Fehlern

der anderen. Ihre Kollegin Isabelle hatte die Kamera wohl so ungeschickt aufgebaut, dass sie von unten gefilmt wurde. Das trägt ja immer sehr auf. Die Frau Isabella hatte dadurch ein Doppelkinn solchen Ausmaßes, dass das Ariane eine Mahnung war. Sie hat sich aus Lisbeths Lego-Burg einen Unterbau für ihre Kamera gebastelt und achtet sehr darauf, nur schräg von oben aufgenommen zu werden. Von ihrer besten Seite, sozusagen. Ja, so haben die jungen Leute ihren Alltag zu meistern: Arbeiten, die Kinder versorgen, den Haushalt machen und sich dabei auch noch gegenseitig aushalten. Und dann auch noch der Ärger, weil der Interweb lahmt!

Das ist bei mir genauso wie bei den jungen Leuten draußen vor den Toren Spandaus. Weil nun fast alle zu Hause sind und im Heimbüro auf die Computer klopfen, auch meine Nachbarinnen, Frau Meiser und die Frau Berber, ruckelt der Onlein ganz gewaltig. Ich bin da ja keine Expertin, aber Stefan hat es mir so erklärt: Wenn man einen Trichter hat, in den man oben Sand schüttet, dann läuft der Sand nicht schneller, wenn man oben mehr draufschüttet. Da verhaken sich die Teilchen, und es klemmt und geht langsam. Weil nun alle ihre Mietings mit dem Onlein machen und viele andere sich Serien beim Netzfix angucken oder gar Schmuddelfilmchen mit Nackten, lahmt nun der Interweb.

Das können Se auch im Fernsehen beobachten. In diesen Tagen ist ja kein Experte oder Politiker mehr direkt im Studio. Mit dem Abstand und so, nee, das macht keiner mehr mit. Die sitzen alle zu Hause vor einer Interweb-Kamera, und dann sehen Se im teuren Fernseher, der Doppel-DD und Ultra hat, doch nur grobkörniges Bild. Ich habe das auch gemerkt, als ich der kleinen Agneta eine Gute-Nacht-Geschichte vorlesen wollte mit Skeip. Das sonst so niedliche Kindergesicht bestand aus verschwommenen Klötzchen und die Stimme war verzerrt. Nee, da habe ich wieder aufgelegt. Das kann ja sonst wer sein, ich singe doch nicht aus Versehen fremde Menschen in den Schlaf!

Wissen Se, eine Renate Bergmann scheut keine Gefahr und ist keine Bangeliese, aber sie ist auch eine Frau von Vernunft und Einsicht. Ich sah das sofort ein, dass »zu Hause bleiben« notwendig war, und Stefan, Ariane und auch Kirsten sind sehr stolz auf mich.

Die ersten Tage und Wochen kriegt man auch prima rum, das ist ja gar kein Problem. Man muss gucken, dass man sich den Tag in eine gewisse Struktur zerlegt. Aufstehen, Mittagsschlaf, die Mahlzeiten, Zubettgehen – am besten, man macht das immer zu festen Zeiten. Und die Stunden dazwischen, na, die gilt es sinnvoll zu füllen. Man darf nicht so früh zu Bett gehen, sonst ist man morgens nur noch früher wach und kriegt den Tag nicht rum, wenn man nicht rausdarf. Himmel, Gesäß und Zwirn, was gäbe ich dafür, mit Gertrud wieder spazieren gehen zu können! Aber nein: Wir müssen vernünftig sein. Und so habe ich mir angewöhnt, dreimal am Tag Nachrichten zu gucken. Mehr nicht, sonst wird man reineweg verrückt. Wissen Se, das Conora ist ein hochwissenschaftliches Thema, wo sich selbst die Studierten streiten, was richtig und was falsch ist. Bleiben Se stets informiert, aber verfolgen Se nicht alles, sonst kommt man vor Sorge gar nicht mehr in den Schlaf. Wissen Se, wir haben ja schon Millionen Bundestrainer, die alles besser wissen, aber mir kommt es bald so vor, als hätten die ganz schnell eine Umschulung gemacht zu Virus-Experten. Dabei ist das ein hochwissenschaftliches Gebiet, und die Leute, die sich da wirklich auskennen, haben unser aller Respekt verdient. Es ist ungezogen und dumm, wenn man da mitquasselt, obwohl man nicht den Hauch einer Ahnung hat. Aber die Klappe halten können viele nicht, und deshalb müssen wir alle entscheiden, wem wir zuhören. Ich rate da zu seriösen Medien. So ein jungsches Fußballerliebchen, was normalerweise über Lippenstift spricht beim Finstergram, ist in solchen Dingen nicht die richtige Ratgeberin. Informieren Sie sich regelmäßig bei vertrauenswürdigen Quellen, aber auch nicht rund um die Uhr. Wie gesagt: Dreimal am Tag reicht, sonst kriegt man es nur im Kopp und fängt das Grübeln an.

Ich habe recht schnell angefangen, mein Adressbüchlein durchzublättern. Es ist nämlich die Zeit, wo man mal ein Stückchen zusammenrücken muss, und wenn das mit Besuch nicht geht, dann eben per Telefon. Wie viele Leute kennt man, die man nur zum Geburtstag anläutet?! Was meinen Se, wie die sich freuen, wenn man sich auch mal außer der Reihe meldet. Ich habe mir gesagt: »Renate, jetzt rufst du jeden Tag einen an und hörst dir mal an, was der für Ängste und Nöte hat.« Wir sind nämlich alle nicht allein mit unseren Sorgen, und man trägt leichter an ihnen, wenn man sie teilt. Ich habe auch schon ein paar »Kriegsbeile« begraben und Leute wieder angerufen, mit denen ich eigentlich böse war. Wissen Se, ich habe mich gefragt, auf was man denn wohl noch warten will, dass man mal einen Schritt aufeinander zu macht? Auf einen Atomkrieg? Es ist noch keinem ein Zacken aus der Krone gefallen, wenn er als Erster die Hand gereicht hat. Ach, das tut gut, sage ich Ihnen. Wenn man mal mit anderen redet als mit denen, von denen man sowieso schon weiß, was sie denken, dann weitet das den Blick.

Ja, und dann koche ich jeden Tag oder backe einen Kuchen. Man muss sich nämlich selbst was wert sein! So ein Rührkuchen zum Beispiel geht doch fix und ist die ganze Woche über eine Freude. Ich backe mir jede Woche einen Rührkuchen. Damit das nicht langweilig wird, mache ich in eine Hälfte Rosinen rein und in die andere Hälfte Schokolade. Da suche ich Ihnen gleich noch das Rezept raus, ich kenne Sie doch, Sie jungsche Dinger fragen immer nach einem Rezept ... warten Se:

Man braucht:

8 Eier
250 Gramm Butter oder Margarine
250 Gramm Zucker
2 Tütchen Vanillezucker
500 Gramm Mehl
1 Tütchen Backpulver
Milch nach Bedarf

Zunächst schlägt man die Eier mit der zimmerwarmen Butter oder der Margarine schön schaumig und rührt den Zucker und den Vanillezucker drunter. Die Masse kann ruhig 10 oder 15 Minuten kräftig geschlagen werden, umso feiner wird der Kuchen.

Das Mehl wird gesiebt (dabei geht es nicht mal drum, dass da vielleicht Klümpchen drin wären; nee, wenn es gesiebt wird, kommt Luft drunter, und alles wird lockerer) und mit dem Backpulver vermengt. Das geben Se dann nach und nach esslöffelweise unter ständigem Rühren zur Eier-Butter-Zuckermasse. Nun geben Se so viel Milch hinzu, dass der Teig geschmeidig, aber nicht flüssig ist. Wissen Se, das kommt immer auf die Größe der Eier an, man kann das nicht so genau sagen. Vielleicht nur zwei Esslöffel, vielleicht aber auch eine halbe Tasse. Da müssen Se ein bisschen gucken und mal beweisen, dass Sie ein Gefühl fürs Backen haben!

So, nun ist der Grundteig auch schon fertig. War das nun so schwer? Nee! Also, wer jetzt schon keine Lust mehr hat, kann den Teig so, wie er ist, backen.

Aaaaaber ich wäre nicht Renate Bergmann, wenn ich nicht noch einen kleinen Tipp hätte:

Zuerst mal teilen Sie jetzt die Masse. Unter die eine Hälfte rühren Sie nun – na, sagen wir mal: 100 bis 150 Gramm Rosinen. Besonders fein schmecken die, wenn man sie in zwei Esslöffel Rum einlegt. Danach werden die noch feuchten Rosinen in einem Esslöffel Mehl auf einem Teller gewälzt, so sinken sie nämlich im Teig nicht nach unten beim Backen, sondern bleiben in der Kuchenmasse schön verteilt.

Die andere Hälfte des Teigs teilen Se bitte noch mal. Was ist die Hälfte von der Hälfte? Da können Sie die Kinder gleich mal mitrechnen lassen, die müssen Bruchrechnen lernen! Richtig, ein Viertel. Unter dieses Viertel des Teiges mengen Sie nun zwei Esslöffel Backkakao.

Nunmehr wird es Zeit, eine Napfkuchenform gut auszubuttern. Das ist das A und O, damit der Kuchen nachher gut wieder rauskommt. Stellen Se den Herd auf 180 Grad (bei Gas ist das Stufe 4, also mittlere Hitze. Es kommt auch nicht auf das Grad an), und heizen Se schön vor.

Jetzt kommt erst in die eine Hälfte der Form der Teig mit den Rosinen und anschließend auf die andere Seite was vom Grundteig. Darauf tut man dann den dunklen Schokoladenteig und obenauf den Rest vom Grundteig. Man kann auch vorsichtig die Gabel einmal durch den Teig ziehen, damit es schön marmoriert aussieht, aber wenn Se das zum ersten Mal machen, lassen Se das weg. Es ist gar nicht schlimm, wenn ein bisschen Rosinenteig über die Grenze fließt zum Kakao oder umgekehrt, das schmeckt trotzdem.

Nun lassen Se das alles bei 180 Grad (das habe ich schon gesagt, oder?) mindestens 50 Minuten backen. Nach der Zeit kann man schon mal gucken, wie die Lage ist, und mit einer langen Stricknadel oder einem Holzpiekser in die Mitte des Kuchens stechen. Wenn noch flüssiger Teig hängen bleibt, braucht der Kuchen noch ein paar Minuten. Ist er dann durchgebacken, nehmen Sie den Kuchen vorsichtig mit zwei Topflappen raus und stürzen ihn auf eine Kuchenplatte. Wenn Sie gut gebuttert haben, sollte das ein Leichtes sein.

Jetzt lassen Sie ihn auskühlen. Wer mag, kann noch Schokoladenguss über die Marmorseite tun oder auch Zitronenguss über die Rosinenhälfte. Auf jeden Fall kann der Kuchen nach dem Erkalten angeschnitten werden, und Sie haben gleich zwei in einem. Den kann man jeden Tag essen, und es wird einem nicht langweilig! Wenn er nach einer Woche etwas fest wird, kann man ihn noch gut »ditschen«, also in den Kaffee einstippen. Ganz prima schmeckt auch, wenn man dünn Marmelade draufstreicht. Ach, ich bin mir sicher, Sie werden begeistert sein! Ich wünsche bestes Gelingen und guten Appetit!

Ich habe mir auch jeden Tag eine kleine Aufgabe vorgenommen und etwas erledigt, was ich schon lange aufgeschoben habe und immer mal machen wollte. Den Nähkorb aufräumen zum Beispiel. Wie schnell sammeln sich da Flicken und Fadenreste an! Auch die Bügelwäsche muss mal erledigt werden, oben auf den Küchenschränken, wo es vom Kochen immer so klebt, muss gescheuert werden, na, und dann ist da die Kiste mit den Papieren, die auch ab und an mal weggeheftet werden wollen, damit Ordnung herrscht. Sie wissen schon: die ganzen Schriebse von den Versicherungen und der Rentenkasse, die Rechnungen vom Ottoversand ... ich will offen zugeben, ich bin da säumig gewesen. Es lag sogar noch die Sterbeurkunde von Walter in der Kiste. Und die Quittung für die Fernsehtruhe!

Meinen Leutchen gebe ich auch jeden Tag eine kleine Aufgabe durch, damit die zu Hause nicht auf Dämlichkeiten kommen. Die Sockenschublade aufräumen, zum Beispiel. Soll mir doch keiner sagen, dass da nicht auch einzelne Strümpfe drinliegen

26

oder welche, die schon ganz dünn sind und mal gestopft werden müssten!

Ja, ich sage immer: »Einer Hausfrau geht nie die Arbeit aus.« Es gibt immer was zu putzen, zu reparieren oder aufzuräumen. Der Tag hat nie so viele Stunden, als dass eine Frau mit ihrem Tun fertig würde.

Aber die Männer.

Herrje. Man muss denen ja in normalen Zeiten schon präzise sagen, was sie tun sollen, und sie beschäftigen, damit sie nicht auf dumme Ideen kommen, aber in solchen Krisenzeiten erst recht. Nun sind meine Gatten ja alle … wie sagt man? Tiefergelegt. Also, sie ruhen in Frieden und müssen nur geharkt und begossen werden. Aber Ilse hat ihren Kurt noch, und die ist schwer gefordert in diesen Tagen.

Unser Kurt ist jetzt 87 Jahre alt und ein feiner, patenter Kerl, der nur eben wie alle Männer schnell gnaddelig wird, wenn er nichts zu werkeln hat. Wissen Se, normalerweise geht er morgens zum Bäcker und kauft zwei Brötchen für sich und Ilse. Später geht er eine Zeitung kaufen, danach schält er Kartoffeln, dann schickt Ilse ihn nach einem halben Brot noch mal zum Bäcker. Kurt schimpft oft, dass Ilse das nicht gleich sagt und dass er das halbe Brot doch mit den Brötchen hätte mitbringen können, aber Ilse nimmt es gern auf ihre Schultern, dass er ihr Vergesslichkeit unterstellt. Sie macht das mit Bedacht, so hat sie ihn nämlich den Vormittag über mit Aufgaben versorgt, und der Kurt kommt nicht auf die Idee, ein Loch in die Wand zu bohren oder sonst was mit Strom anzufassen.

Der Kurt hat ja noch seinen Männerchor, seine Kaninchen und den Fußball. Wenn Kreisliga ist, geht er am Sonnabend auf den Platz. Er war ja früher sogar selbst linker Läufer bei Generator Karlshorst. Nee, Dynamo. Abends, also wenn keine Chorprobe ist und kein Auftritt, guckt er auch gern im Fernsehen zu, wenn die Männer sich da auf dem Rasen »die Pille zuschieben«, wie er immer so schön sagt. Das fiel ja nun alles weg. Kein Chor, keine Kreisliga, und selbst im Fernsehen kein Fußball! Da fällt Ilse die schwere Aufgabe zu, den Mann sinnvoll zu beschäftigen.

Zwei Tage hat sie ihn Kartoffeln schälen lassen. Wissen Se, der Winter steuerte dem Ende zu, und da sieht die Einkellerung meist schon schrumpelig aus und treibt Keime. Die werden nicht mehr besser, die Kartoffeln, und deshalb weckt Ilse am Ende des Winters immer ein, was noch im Keller liegt. Die Kartoffeln gehen prima als Beilage, für Bratkartoffeln und auch für Salat. Da hatte Kurt gut zu tun, aber auch, wenn man dünn schält und die Augen genau aussticht, ist diese Arbeit nach zwei Tagen getan. Ilse hat ihn danach Nistkästen, Vogelhäuschen und Insektenhotels bauen lassen. Das ist was Sinnvolles, was man auch gut verschenken kann und worüber sich viele freuen. Fast mehr noch als über Topflappen. Aber Kurt ist auch darin geübt, und so war nach zwei Tagen schon absehbar, dass das Material zur Neige gehen und sich die Vogelbe-

hausungen stapeln würden. Ilse hat dann den Holz-
leim mit einem kräftigen Schluck Wasser gestreckt,
sodass die Basteleien am nächsten Morgen, nach
dem Trocknen, wieder in Einzelteilen vor dem stau-
nenden Kurt lagen. Ja, das ist ein bisschen gemein,
aber es war nur in seinem eigenen Interesse. So hatte er länger zu tun, und schließlich hatten wir Krise.
Krise ist wie Not, und die macht erfinderisch, wie
wir alle wissen. Schließlich musste Ilse den Kurt bei
Laune halten, da heiligt der Zweck die Mittel.

Wochenlang hatte das Fernsehen ja so gar keine
Idee, wie es mit dem fehlenden Fußball umgehen
soll. Sie hatten die Sendezeit eingeplant, aber irgendwann war dann jede alte Folge »Traumschiff«
als Notlösung weggesendet. Fortan berichteten sie
stundenlang darüber, dass es nichts zu berichten
gibt. Sie zeigten, wie die Fußballer zu Hause in
ihren Wohnstuben ein bisschen mit dem Ball ba-
lancierten, und manche turnten auch was vor, so
wie meine Kirsten. Irgendwann kam dann einer auf
die merkwürdige Idee, dass man noch mal Spiele
von früher senden könne. Ich habe da durch Zufall
eingeschaltet und war ganz irritiert, weil der Herr
Lahm nun auf einmal doch wieder mitspielte, wo er
doch in Rente gegangen war. Ein Anruf bei Gläsers
brachte Klarheit: Es war eine Wiederholung, sagte
Kurt, und auch, dass ich nicht länger stören soll. Ich
hielt das ja erst für einen Scherz. Warum sollte je-
mand ein Fußballspiel angucken, wenn er weiß, wie
es ausgeht? Aber Männer sind da offenbar schlich-
teren Gemüts, denen reicht es zu sehen, dass der

Ball rollt. Ich warte jetzt immer darauf, dass einer auf die Idee kommt, die Wettervorhersage für den 4. April 1972 noch mal zu senden oder die Ziehung der Lottozahlen von 11. Mai 1982. Ja, gucken Se nicht so, beim Fußball stört das keinen! Aber was rege ich mich auf, wir haben Krise, und da muss man die Nerven schonen. Sollen die Männer doch Fußball von früher gucken, wenn sie das glücklich macht ... Man muss das ja nicht verstehen.

Kurts Chorproben liegen ja leider auch auf Eis. Gerade beim Singen steckt man sich an, weil da die Tröpfchen ganz besonders fliegen, hat einer der schlauen Professoren rausgefunden. Deshalb käme das nicht mal in Betracht, wenn man die anderthalb Meter Abstand einhielte. Aber es ginge auch aus anderen Gründen nicht, bedenken Se, dass Kurt mit seinen 87 der zweitjüngste im Chor ist. Da wissen Se ungefähr Bescheid, wie gut die Herren noch hören. Deshalb geht das mit dem Abstand auf keinen Fall. Frau Schlode, was die Chorleiterin und gleichzeitig die Kindergärtnerin bei uns im Kiez ist, ließ zwar nichts unversucht, aber die alten Herren waren einfach nicht beim Skeip zum Singen zu bringen. Kurt war der Einzige, der trällerte. Zwei Stunden hat die Schlode unseren armen Kurt Tonleitern üben lassen, bis Ilse solche Kopfschmerzen hatte, dass sie den Onlein abgeschaltet hat. Oskar Tanne, den alle nur »die Lärche von Spandau« nennen und der Stimmführer im Chor ist, drückte da immer noch auf dem Täblätt rum und hatte schon zweimal Pizza mit Ananas bestellt statt den Skeip zu starten.

Der Chor pausiert nun und wartet, bis das Singen wieder offiziell erlaubt wird.

Da ist unsere Frau Schlode ja nun furchtbar unterausgelastet. Sie weiß schon immer nicht, wohin mit ihrer Lust am Musizieren, wenn sie acht Stunden arbeiten geht, aber nun hat der Kindergarten zu! Dazu kein Kinderchor, keine Blockflötengruppe, keine Geburtstagsständchen bei älteren Herrschaften und auch kein Männerchor. Die Frau weiß gar nicht, wohin mit sich! Als die ersten Filmchen rumgeschickt wurden, wie schön die Italiener auf dem Balkon singen, da bekam ich es schon mit der Angst zu tun und habe mich kaum zum Briefkasten getraut, und jawoll, da lagen schon die Singeblättchen und der Zeitplan: Ab 18 Uhr sollten wir alle Stunde raustreten zum gemeinsamen Gesang. Ich habe den Zettel ganz schnell verbrannt und meine Zeitung im Kasten stecken lassen. Falls die Schlode Kontrolle gemacht hätte, hätte ich immer noch sagen können, dass ich gar nicht am Briefkasten war und von nichts wusste. Um 18 Uhr war dann eine Blockflöte zu hören, das dünne Stimmchen von Frau Meiser und ein lauter Ruf von Herrn Distelfink, der damit drohte, das Ordnungsamt anzurufen.

Es war ja eine sehr nette Idee, aber es passt eben eher zu den Italienern als zu uns. Wie sagte Oma Strelemann schon immer? »In der Liebe und beim Singen kann man nichts erzwingen!«

Jetzt muss ich aber auf das ganz wichtige Thema Einkaufen zu sprechen kommen. Da habe ich vieles nicht verstanden.

Ich bin keine, die jeden Tag losrennt und einholt, was ich zum Kochen brauche. Wissen Se, ich bin schon als Kind von Oma und Mutter zu einer gewissen Weitsicht in Sachen Vorratshaltung erzogen worden, später war ich auf der Bräuteschule, und als Mutter und Ehefrau hat mich der Mangel in der DDR geradezu gezwungen, mit einem kleinen Lager zu wirtschaften. Auch in der schweren Zeit nach dem Krieg konnten wir nicht sagen: »Ich gehe mal schnell los und hole Rindsfilet«, sondern man musste gucken, was man dahatte und daraus was zaubern.

Deshalb habe ich immer in der Speisekammer, was ich für ein, zwei Wochen brauche. Das ist auch praktisch, wissen Se, so kann man kaufen, wenn was im Angebot ist, und spart eine Menge Geld unterm Strich! Wenn ich zum Beispiel sehe, dass Zucker nächste Woche zwei Groschen billiger ist, na, dann nehme ich beim Wocheneinkauf vier Päckchen mit und stelle die in die Vorratskammer. So habe ich immer was da, wenn ich beispielsweise Marmelade kochen will, und muss nicht extra los. Sind wir doch mal ehrlich, man kauft da dann auch nicht nur eine Tüte Zucker und gibt die zwei Groschen mehr aus, sondern man hat hinterher auf jeden Fall wieder für zehn Euro Quatsch im Korb, den man gar nicht wollte.

Also habe ich immer ein bisschen was auf Vorrat. Ich war extra in der Kammer und habe Inventur gemacht. Dann habe ich überlegt, ob das wohl verantwortungsvoll ist, Ihnen einfach die Ratschläge einer alten Dame aufzuschreiben, wo die doch gar nicht wissenschaftlich durchdacht sind, sondern nur Lebenserfahrung. Deshalb habe ich mich informiert und nachgelesen, was da von offizieller Seite empfohlen wird.

Das Bundesamt für Bevölkerungsschutz und Katastrophenhilfe (was es nicht alles gibt!) empfiehlt, für zehn Tage Vorrat zu haben, falls mal was ist. Ja, das kommt ganz gut hin, das hatte ich auch so gedacht. Als ich weitergelesen habe, habe ich aber die Stirn krausziehen müssen. An Fett und Öl empfehlen sie nämlich für die zehn Tage 0,357 kg. Das sind pro Tag 35,7 Gramm, und ich frage mich da drei Sachen:

Wie messen die das ab?

Wer rechnet so was aus?

Und was ist, wenn man die Kuchenform ausgebuttert hat? Gibt es dann trocken Brot an dem Tag?

Daran können Se schon sehen, dass da Bürokraten am Werk waren, die keine Ahnung von Haushaltsführung haben. Gehen Se mal in die Kaufhalle und kaufen 0,357 kg Butter! Nee. Lassen Se das. Die holen Sie sonst mit dem Jäckchen ab, das auf dem Rücken zugebunden wird. So was können nur Leute ausrechnen, die von normalen Menschen getrennt in Amtsstuben ein trauriges Leben fristen. 357 Gramm Butter für zehn Tage, ich bitte Sie! Mein Rat lautet: Zwei Stück Butter, zwei Stück Margarine und eine Flasche Speiseöl habe ich immer im Kühlschrank.

Andererseits empfehlen die Amtsbrüder 4 Kilo Gemüse und Hülsenfrüchte in Dosen vorzuhalten. Ich will nicht indiskret werden, sage Ihnen aber im Vertrauen: Das macht meine Verdauung nicht störungsfrei mit. Da würde ich … also, nee. Zwingen Se mich nicht, da konkret zu werden, und lassen Se mich einfach sagen: Das geht nicht, dass … da … nein.

Kurzum, diese Liste ist bestimmt so berechnet, dass man die Kalorien gezählt hat und dass die theoretisch reichen, damit über die Zeit zu kommen. Aber das rechnen die Leute aus, die auch sagen, von 3,20 € Rentenerhöhung soll ich noch was auf die Seite legen für die Pflege im hohen Alter, obwohl der Friseur alleine schon 4 € teurer wird. Nee, vergessen Se das, und strengen Se Ihr Hirn alleine an. Man weiß doch ungefähr, was man gerne isst, was man verbraucht und vor allem auch, was man überhaupt kochen kann.

Ich kann das ja auch nicht verstehen, dass Hefe und Mehl über Wochen hinweg ausverkauft waren. Erstens haben die Bäcker immer und zu jeder Zeit geöffnet und bieten einem feinstes Brot in bester Qualität feil, und zweitens ... verzeihen Se mir die offenen Worte, aber wenn ich mir die Leute angucke, die da Mehl im 10-Kilo-Sack nach Hause geschleppt haben, bezweifle ich, dass manche von denen überhaupt backen können.

Also, bedenken Se bitte, dass ich keine offizielle Stelle bin, die Ratschläge geben will und kann. Ich kann Ihnen nur berichten, was ich in der Speisekammer habe. Damit bin ich gut durch sechs Jahrzehnte als Hausfrau gekommen.

Was ich immer dahabe, fragen Se nun? Passen Se auf, ich ergänze mal, was in meinen Augen Sinn macht und was ich immer zu Hause habe:

20 Liter Wasser

Zu Wasser raten ja alle. Ich habe da aber nicht viel Vorrat, wissen Se, die Plackerei mit den schweren Flaschen ist nichts für eine betagte Dame mit operierter Hüfte. Wasser kommt aus dem Hahn, und Kohlensäure macht sowieso Sodbrennen. Gucken Se, dass Sie Tee und Kaffee dahaben und vielleicht auch ausnahmsweise diesen ungesunden Krümeltee mit viel Zucker, wo man Diabetiker wird nur vom Nippen. Aber in Notsituationen, wenn man mal den Kreislauf schlapp hat, gibt der Energie.

Darüber hinaus habe ich im Haus:

2 Tüten Zucker
2 Tüten Mehl
1 Päckchen Salz (nicht auszudenken, wenn einem das Salz ausgeht!)
je ein Päckchen Vollkornbrot, Zwieback und Knäcke
2–3 Tüten Nudeln
1 Tüte Haferflocken
1 Dose Sauerkraut
1 Glas Rotkohl (den mache ich eigentlich immer selbst, es ist nur für den Fall der Fälle!)
1 Glas grüne Bohnen
1 Dose weiße Bohnen
1 Glas Erbsen und Möhrchen
1 Netz Kartoffeln
1 Päckchen Reis
1 Glas saure Gurken
1 Netz Zwiebeln
1 Netz Kartoffeln (falls man keine Einkellerung hat)
1 Kilo Äpfel
4 Apfelsinen oder Pampelmusen
Ansonsten guckt man bei Frischobst nach Sorten, die sich ein bisschen halten. Das kommt auch auf die Saison an und was man gerne isst.
4 Pack H-Milch
2 Stück Butter
2 Stück Margarine
1 Flasche Speiseöl
1 Dutzend Eier
Nach Geschmack 3–4 Büchsen oder Gläser Obst,

meinetwegen Pflaumen, Mandarinen, Kirschen, Birnen, na, was man eben am liebsten mag. Wenn Se selbst Eingewecktes im Keller haben, können Se den Punkt auch überspringen.

1 Glas Marmelade
1 Glas Honig
1 Tüte Rosinen
1 Tüte Nüsse
Kaffee
Tee (ich glaube fast, Kaffee und Tee habe ich schon mal aufgeschrieben, aber der ist auch sehr wichtig. Dürfen Se auf keinen Fall vergessen!)

Käse (da rate ich zu Schnittkäse am Stück, wissen Se, Scheiben werden immer gleich grintig)

je eine Dose Ölsardinen, Thunfisch und Heringsfilet

2 Gläser Bockwurst

Von Aufschnitt rate ich auch ab, nehmen Se praktischerweise Dauerwurst wie Salami oder Schlackwurst am Stück und je ein Glas Leberwurst und Blutwurst im Glas.

Die Vegetarischen von Ihnen nehmen entsprechen mehr Käse und Gemüse. Bei den Weganen muss ich passen, Se müssten vielleicht einen Spezialisten konsultieren oder mal im Blumenladen vorbeischauen.

Das ist das, was ich immer als Grundvorrat in der Speisekammer stehen habe. Wenn was im Angebot ist, kommt auch mal von diesem oder jenen ein Päckchen mehr dazu – man spart doch, wo man kann, nicht wahr? Es ist auch abhängig von der Saison. Wenn Einkochzeit ist, habe ich natürlich mehr Zucker stehen. Im Advent sind es auch mal zwei Tüten Mehl mehr, weil da eben häufig gebacken wird. Aber so pendelt sich das ein, und damit bin ich gut gefahren.

Darüber hinaus ist da noch der Tiefkühlgefrierer, da hat man ja auch noch Vorräte. Die jungen Leute essen ja gern so Zeuchs zum Aufwärmen, was schon fertig ist. Pizza und so. Da gebe ich keinen Rat, wissen Se, da kenne ich mich nicht aus. Das wissen Se selber besser, was Se da brauchen.

Aber ich rate zu:

2 Päckchen Spinat
1 Tüte Kroketten oder Pommes für den Backofen
1 Paket Kochfisch
1 Paket Fischstäbchen

Ansonsten habe ich auch gern Gemüse im Froster. Also Erbsen, junge Bohnen und so was, das ist tiefgekühlt oft genauso gut wie frisch. Und natürlich lasse ich nichts umkommen, wenn vom Eintopf was übrig bleibt, wird das eingetuppert und kommt in den Eisschrank. Ebenso der Kuchen, den meine Freundin Gertrud und ich bei Beerdigungen … aber das gehört nicht hierher.

Ich habe in der Speisekammer ein kleines Regal, darin steht alles übersichtlich einsortiert. Einmal die Woche, vor dem Einkauf, gucke ich durch, was fehlt, und schreibe es auf meine Liste. Wenn was Neues hinzukommt, stelle ich das immer nach hinten, damit das mit dem kürzeren Verbrauchsdatum vorne steht und als Erstes weggenommen wird. Wobei ich auch da zu Vernunft rate. Nur weil das aufgedruckte Datum seit zwei Tagen rum ist, muss man nichts wegschmeißen. Wenn ich sehe, was da auch bei uns im Haus alles in der Tonne landet! Die jungschen Dinger haben oft keine Ahnung und keinen Respekt vor Lebensmitteln. Das Datum heißt nur, dass der Hersteller bis zu diesem Tag garantiert, dass die Ware tipptopp ist. Niemand kriegt Ausschlag oder Durchfall, wenn er es drei Tage später isst. Es bedeutet nur, dass man ab diesem Tag mal riechen oder gucken muss. Also, wenn schon Schimmel drauf ist, schmeiße ich es auch weg, nicht, dass Se mich da falsch verstehen. Aber man kann doch mit gesundem Menschenverstand an die Dinge gehen! Irgendein Datum müssen die laut Gesetz draufdrucken. Aber nehmen Se zum Beispiel Salz. Das liegt seit Jahrmillionen da so rum und wird nicht am 3. Februar 2021 schlecht, nur weil die Firma das auf die Packung gestempelt hat.

Na ja. Aber ich rege mich nur wieder auf, das ist nicht gut für den Blutdruck. Blutdruck ist ein gutes Stichwort.

Die Hausapotheke muss für solche Fälle vorbereitet sein. Für was denn sonst, frage ich Sie?

Meine Doktorsche ist ja gerade sehr zuvorkommend. Ich kann mich da nie beklagen, mit Schwester Sabine komme ich gut zurecht, die kriegt ab und an ein Päckchen Kaffee, und so klappt das prima mit den Terminen und den Rezepten. Frau Doktor Bürgel verordnet mir auch alles, was ich brauche, sogar Massage zweimal im Jahr, und das Rentnerturnen kriege ich auch auf Rezept, weil ich ja Hüfte habe. Da kann man das als Vorsorge bei der Kasse ... also, ich zahle dann weniger im Kurs mit Fräulein Tanja. Gerade in diesen Zeiten ist das gute Verhältnis zu Frau Doktor Bürgel und ihren Damen ganz wichtig. Die arbeiten da ja am Limit und haben allen Respekt verdient. Allerdings weiß ich nicht, ob sie mich klatschen gehört hat auf dem Balkon. Die Bürgel ist auch nicht für solchen Quatsch, ich glaube, die findet das albern. Aber wie dem auch sei, ich musste nur anrufen wegen meines Rezepts, und Schwester Sabine hat es Stefan ohne große Zicken rausgegeben.

Aber wo war ich?

Ach ja, die Hausapotheke.

Da gehören auf jeden Fall die Medikamente rein, die man verordnet bekommen hat und regelmäßig einnehmen muss. Das ist bei uns Alten ja meist eine ganze Menge. Ich habe da einen Extraschrank mit Schubladen, fast wie in der Apotheke. Der ist auch abschließbar und steht höher, wissen Se, wenn die Kinder mal hier sind. Man wird ja

sein Lebtag nicht mehr froh, wenn die da dran-
gehen!

Also, da ist eben individuell das drin, was der
Doktor sagt, das man schlucken muss, und darüber
hinaus:

1 Verbandskasten, der der Norm entspricht und
   wo nichts Überlagertes drin ist
1 Fieberthermometer
1 Plitterspinzette
Nee warten Se.
1 Splitterpinzette
Schmerzmittel
Was gegen Durchfall
Brandsalbe
Desinfektionsmittel (sofern Se noch was kriegen)

Desinfektionsmittel ist auch ein Stichwort.

Herrje, wie erkläre ich das nun, ohne dass Se mich gleich für eine Trinkerin halten? Wissen Se, ich nehme gern mal einen Korn. Ein richtigen, eisgekühlten, strammen Doppelkorn. Der ist meine Medizin! Wie jede Medizin darf der nur in Maßen (da ist doch ß richtig, oder schreibt man das mit 2 s? Nee, das wäre ein ganz anderer Sinn!) genossen werden. Der hilft beim Verdauen, den kann man in den Tee tun, und er wärmt schön durch, und ich sage Ihnen, manche Tage nehme ich auch einen Schlummerkorn zum Einschlafen. Aber alles in allem höchstens zwei, drei Mal die Woche, Se müssen sich also nicht um mich sorgen. Ich »hänge nicht an der Flasche«, wie die Meiser der Berber nach Neujahr zugeflüstert hat, weil sie mich am Glascontainer gesehen hat. Dabei habe ich keine Kornflaschen weggebracht, sondern die Buddeln von Kirstens Heilpilz-Limonade, die sie über die Feiertage bei mir geleert hat! Eine Frechheit. Nein, eine Renate Bergmann trinkt nicht, sie nimmt nur einen Notkorn, wenn die Lage im Magen, im Rachen oder eben auch in Wirtschaft und Politik es erfordern. Deshalb habe ich auch immer einen kleinen Vorrat an Korn da, damit es nie zu einem Engpass kommt. Ich hole den meist im Werksverkauf. Wenn man jede Woche beim Einkauf eine kleine Flasche mit aufs Band legt, gucken doch die Leute. Wie schnell wird geredet! Nee, da habe ich immer Vorrat, und wenn ich nicht hinkomme zur Destille, lasse ich es schicken. Der Onlein ist so eine feine Sache, und die verpacken es so, dass es nicht klimpert. Sehr diskret.

Jetzt hätte ich eine Sache noch fast vergessen … Denken Se bloß daran, immer genügend Batterien im Haus zu haben! Mir wäre das fast entfallen. Diese kleinen, die in den Fernbediener kommen und ein bisschen größere für die Taschenlampe. Das ist ganz wichtig. Wenn nichts passiert – spätestens an Weihnachten können Se die gebrauchen, weil mit ganz großer Sicherheit eines der Kinder wieder ein Geschenk kriegt, was Krach macht und tanzt, und da ist nach einer Stunde meist der Strom alle und das Gebrüll groß. Es gab allerdings auch schon Weihnachtsfeste, da habe ich die Batterien nach einer Weile entfernt, wenn keiner geguckt hat, und damit meine Vorräte aufgefüllt. Ich bitte Sie, eine tanzende Puppe, die in Dauerschleife »Über allen strahlt die Sonne« plärrt, ist fast schlimmer als ein Kulturprogramm von Cornelia Schlode!

Ja … jetzt bin ich ganz von den Vorräten abgekommen, aber Sie haben bestimmt gut aufgepasst und sind im Bilde. Damit kommt man ganz gut über die Runden, ist meine Erfahrung. Man muss nur frisch vom Fleischer, Bäcker oder Gemüsemann dazuholen und kann prima ohne Großeinkauf ein, zwei Wochen auskommen. Deshalb war meine Verwunderung recht groß, als ich hören musste, dass sich die Leute wie die Ausgehungerten auf die Regale mit Büchsensuppe und Nudeln gestürzt haben.

Ich selbst bin da ja schon nicht mehr einkaufen gegangen, das hat Stefan alles für mich übernommen. Sogar Frau Berber und Frau Meiser haben Hilfe bei Besorgungen angeboten, denken Se nur. Frau Berber sagte gleich in der ersten Woche, sie nimmt mir auch einen Weg ab und bringt Einkäufe mit, wenn mir was fehlt, soll ich es nur frei raus sagen. Lassen Se die ein loses Ding sein, aber wenn es drauf ankommt, kann ich auf sie zählen. Ich habe das zwar nicht in Anspruch genommen, weil die sich doch nicht auskennt und mir wieder das Falsche anschleppt, aber die Geste zählt. Ja, das ist doch so! Einmal hatte ich sie gebeten, mir ein Glas Perlzwiebeln mitzubringen und ihr noch genau beschrieben, wie die aussehen und wo sie stehen. Ich nehme immer die mit dem blauen Deckel, die ganz unten im Regal stehen. Und was schleppt sie mir an? Die teuren, mit grünem Deckel auf dem Glas! Na ja. Ich habe ihr trotzdem ein Päckchen Weinbrandbohnen geschenkt, weil das wirklich nett war.

Natürlich habe ich ihr das nicht selber überreicht, sondern wir haben das »kontaktlos« abgewickelt.

Kontaktlos ist der neueste Schlager, das machen jetzt alle. Es ist eben sicherer, so kann man keinen anstecken. Sogar der Postbote bringt die Sendungen »kontaktlos«, das heißt, er legt einem das Päckchen vor die Füße und tritt einen Schritt zurück. Unter uns, ich habe mich ganz schön erschrocken beim ersten Mal. Das hat mich sehr daran erinnert, wie Franz seinerzeit um meine Hand anhielt. Erst als mir der Postgesandte ein Klemmbrett hinhielt und ich – mit eigenem Stift – quittieren musste, wurde mir klar, dass wohl kein Ring in der Schachtel war, sondern meine bestellte Medizin.

Ich habe für die Übergaben aller Art einen großen Waschkorb in den Hausflur gestellt. Der hat eh schon einen kleinen Riss, wo man sich empfindliche Wäsche kaputtmachen würde, es wäre also nicht schlimm, wenn der wegkäme. Der wird rege genutzt! Stefan stellt mir da immer meine Einkäufe rein und läutet, wenn er von der Kaufhalle zurück ist. Dann winkt er mir zum Balkon hoch, und wenn was Wichtiges ist, sprechen wir noch ein paar Worte. Wissen Se, neulich hatte er die kleine Agneta mit. Die Kleine muss ja auch mal an die Luft. Wie sie mir da hochgewinkt hat, ich muss Ihnen sagen, da hatte ich schon einen dicken Kloß im Hals. Aber man muss hart zu sich sein, wenn man gesund bleiben will. Gerade die Kleinen sind doch sozusagen Drehscheiben für den Conora, da darf man sich nichts vormachen. Und andererseits weiß auch kein Mensch, ob ich es nicht habe und am Ende andere anstecke? Die Doktorsche sagt immer, ich hätte eine »robuste Konstitution«, was hochgestochenes Gequatsche ist und bedeutet »Frau Bergmann, Sie haben eine Rossnatur«. Da kann es doch gut sein, dass ich Virus habe und es gar nicht merke? Nee, man muss vorsichtig sein und Disziplin zeigen. Da ist die Preußin in mir ganz konsequent.

Aber nicht nur ich nutze den »Übergabewaschkorb«, nee, auch die anderen im Haus. Das ist ja auch richtig so, man kann den ja mit Hügjenespray wieder sauber machen. Die Frau Berber zum Beispiel ist auch ganz streng, was das Kontaktverbot anbelangt. Die lässt nicht mal mehr ihren Pizzaboten rein, und den hat sie sonst immer mit Naturalien bezahlt, wenn Se verstehen, was ich meine. Jetzt muss er den Karton mit dem Salamikuchen immer in meinen Waschkorb stellen, und sie gibt ihm höchstens Schmeißküsschen vom Balkon.

Aber hauptsächlich nimmt Stefan den Waschkorb für die Übergabe meiner Einkäufe. Ach, ich hatte ja erst Bedenken, den Jungen für meine Belange so in Anspruch zu nehmen, aber wissen Se, Heimbüro, Ariane und zwei kleine Mädchen – der ist auch froh, wenn er mal rauskann. Manche Tage ruft er sogar an und fragt, ob ich nicht was brauche. Das ist verständlich, auch, dass Ariane und Stefan sich geradezu darum streiten, wer wohl für Tante Renate einkaufen gehen darf. Aber wie Sie nun wissen, habe ich immer ein paar Grundnahrungsmittel in der Speisekammer und muss nicht wie eine Irre losrennen und Mehl horten.

Und Reis und Hefe.

Außerdem habe ich gelernt, aus dem was zu kochen, was man zu Hause hat. Und weil es nun tatsächlich Tage gegeben hat, an denen es ausnahmsweise das eine oder andere nicht gab, kam es mir zugute, dass ich gelernt habe, aus wenig was Schmackhaftes zu zaubern.

Da schreibe ich Ihnen gleich noch drei kleine, ganz einfache Rezepte auf, mit Zutaten, die man im Haus hat und für die man nicht erst noch losrennen muss, weil man keinen »Abrieb von Bio-Zitronen« im Haus hat oder keine »Fu-Fuy-Wurzel«.

ARME RITTER

Wissen Se, ich bin schon in normalen Zeiten keine, die Brot gut wegschmeißen kann. Es tut mir in der Seele weh! Deshalb mache ich mir gern »Arme Ritter«, die möchte ich Ihnen auch ans Herz legen.

Man braucht dafür nur Sachen, die man sowieso im Haus hat, und kann auch noch gut Reste verwerten. Da muss man das alte Brot nicht den Enten geben, wo wir doch sowieso nicht rausdürfen …

Also. Passen Se auf:

Man nimmt

2 Eier
100 ml Milch

1 Esslöffel Zucker
1 Prise Salz

Eine Prise Salz muss ja an alles Süße dran, das hebt den Geschmack. Das hat Oma Strelemann immer schon gesagt, und das stimmt auch. Das alles verkleppert man mit einer Gabel in einem tiefen Teller oder einer flachen Schüssel, was man eben zur Hand hat.

In einer Pfanne machen Se ein bisschen Butter – herrje, ich höre Sie schon wieder fragen: »Wie viel denn, Frau Bergmann?« – also, einen Fingerbreit Butter machen Se in einer Pfanne heiß. Dann nehmen Se pro Person 2 Scheiben altbackenes Brot, tunken das kurz in die Eimilchmasse und braten das von beiden Seiten goldgelb aus. Ach, das schmeckt, kann ich Ihnen sagen! Darüber kann man ein bisschen Zimt stäuben, und wer welches dahat, kann auch Obst dazu reichen. Das ist ein so feines Essen!

KARTOFFELSUPPE

1 Kilo Kartoffeln
schälen, mit *1,5 Teelöffeln Salz* kochen.

Derweil

1 Bund Suppengemüse (Möhren, Sellerie, Porree) waschen und recht fein schnippeln. Zunächst zur Seite legen.

Derweil

2 Knackwürstchen in kleine Stücke schneiden und in einer großen Pfanne anbraten,

Pro Person
2 Wiener Würstchen in mundgerechte Stücke (aber nicht zu klein!) schneiden und mit den Knackwürstchen braten.

Das Suppengemüse dazugeben und alles auf kleiner Flamme weich dünsten. Die Vegetarischen unter Ihnen können die Würste auch weglassen und stattdessen später einen Löffel Gemüsebrühe zur Suppe geben und so Würste aus Soja, das kann ja jeder halten wie ein Schneider.

Wenn die Kartoffeln gar sind – nach einer knappen halben Stunde sind sie das –, dürfen sie NICHT abgegossen werden! Sie werden stattdessen mit einem Kartoffelstampfer in dem Kochwasser zerdrückt. Das muss gar nicht zu fein werden, es dürfen ruhig noch ein paar Kartoffelstückchen enthalten sein. Schleim aus der Schnabeltasse kriegen wir noch früh genug!

Nun kommt das mit den Würstchen angebratene Gemüse dazu, dann rührt man durch und schmeckt ab. Manchmal braucht die Suppe noch eine Prise Salz, aber weil die Würste ja gewürzt sind und auch der Sellerie kräftig schmeckt, reicht das meist schon. Man darf auch mit einem halben Brühwürfel schummeln, wenn man will.

Zum Schluss kommt noch ein bisschen Petersilie

drüber, und dann kann serviert werden. Wissen Se, dadurch, dass ich die Wiener Würstchen klein geschnitten mitbrate, hat man keine Schmaddere auf dem Suppenteller und verbrüht sich die Finger nicht. Probieren Se das mal! Ich wünsche guten Appetit.

Wie jede gute Suppe kann die am nächsten Tag noch mal aufgewärmt werden. Da wundern Se sich aber bitte nicht, wie breiig sie geworden ist, das ist ganz normal. Dem Geschmack tut das keinen Abbruch, da tun Se einfach eine halbe Tasse Wasser hinzu, und sie ist wie neu.

SÜSS-SAURE EIER

Man nehme einen sauberen Topf (da sind einige schon aus dem Spiel, fürchte ich ...) und gebe

3 Esslöffel Margarine
3 Esslöffel Mehl

hinein.

Das wird unter ständigem Rühren auf höchster Stufe geschmolzen und so lange gebräunt, wie es Ihrem Geschmack entspricht.

(Das nennt man MEHLSCHWITZE!)

Sobald die Masse braun, aber nicht verbrannt ist, gibt man

gut 1/2 Liter Wasser

hinzu. Das lässt man aufkochen und hat eine dicke braune Soße, die nach gar nichts schmeckt.

Deshalb kommen nun

1 Teelöffel Salz
2 Teelöffel Zucker
2 Esslöffel Essig

hinzu.

Den Herd können Se ruhig ausstellen, es muss nicht mehr kochen. Beim Abschmecken müssen Se ein bisschen Gefühl walten lassen und vielleicht noch eine Prise Salz, Zucker oder Essig beigeben, es ist ja auch Geschmackssache. Pro Person rechne ich dann

2 weichgekochte Eier

Das können Se aber halten wie Se wollen, ob Se die nun hart kochen oder ob Se eins mehr servieren.

Zur Soße reicht man Quetschkartoffeln. Die kriegen Se aber doch wohl alleine hin, oder?

Ich höre nun auch auf mit Rezepten, wissen Se, es soll ja kein Kochbuch werden. Ich wollte Ihnen nur aufzeigen, wie man mit ganz wenigen Zutaten und ohne große Kochkunst ein paar Hausmannsgerichte zaubern kann. Denken Se selber mal nach, was die Mutti oder die Oma früher immer gekocht hat, und versuchen Se sich mal daran! Rufen Se auch mal an und fragen Se, wie die das gemacht haben, wenn das noch geht.

Sogar meine Freundin Gertrud gibt jetzt Haushalts- tipps, denken Se sich das nur! Gertrud war ja früher Köchin, aber seit sie in Rente ist, hat sie nur noch selten einen Kochlöffel angefasst. Sie ist ein biss- chen träge und behäbig, wenn Se mich fragen, und nimmt den Begriff »Ruhestand« zu wörtlich. Wenn ich sie nicht immer und immer wieder in die Seite buffen würde, bekäme die den Hintern bald gar nicht mehr hoch von der Couch und würde da vor sich hin ruhen. Deshalb habe ich auch nichts gegen den Hund gesagt, den sie sich vor ein paar Jahren angeschafft hat. Gertrud hat ja einfach im Fernsehen angerufen, weil ein Welpe so lieb guck- te, hat ihn sich nach Hause bestellt und ihn Norbert genannt. Norbert ist ein richtiges Kalb. Eine Kreu- zung aus Doberschnauzer und Dogge. Auf jeden Fall ist er riiiiiesig und hat einen großen Appetit. Na, und wer viel frisst, der muss auch zweimal am Tag raus und sich erleichtern. Gertrud ist, gerade bei schlechtem Wetter, schon mal faul und schickt das Tier allein vor die Tür. Aber nun haben die Kinder sich organisiert zur Nachbarschaftshilfe, damit auch

Gertrud sich isolieren und in Sicherheit halten kann. Sie gibt dafür im Gegenzug am Telefon Tipps, wie man Pudding kocht.

Da muss man ja wirklich staunen, wie die Menschen zusammenhalten und sich gegenseitig helfen. Ich habe auch jeden Tag Zettel im Briefkasten, dass die Kinder für mich einkaufen gehen wollen oder den Hund ausführen. Aber ich habe gar keinen Hund, und Katerle macht auf sein Katzenklo. Manchmal, wenn wieder ein Kind klingelt, schicke ich es nach Hefe. Das ist höflicher als Nein zu sagen, wissen Se. Hefe gibt es sowieso nicht so leicht, wie ich lernen musste und später noch berichten werde. Da hat das Kind was zu tun und freut sich, und falls es wirklich mit einem Würfel Backhilfe ankommt, kostet das kein Eckhaus. Gertruds Nachbarskinder, die ja nicht zur Schule dürfen, stehen jedenfalls Schlange, um mit Norbert Gassi zu gehen. Gertrud kriegt den Norbert jedes Mal ausgekäckert und leergepullert zurück, da muss man staunen über die Solidarität der Kinder. Sie sagt, sie hat es jetzt auf zweimal Spazierengehen am Tag beschränkt. Das ist für Norbert das Beste. Anfangs waren die Kinder reineweg verrückt darauf, mit dem Hund zu gehen, da hat Norbert sich schon unter der Couch verstecken wollen, als es geklingelt hat. Da er so groß ist, passt er aber nicht drunter. Das kann sich der dumme Hund jedoch nicht merken und klemmt sich immer wieder ein. Fix und fertig war er vom Gassispaziergang, sagt Gertrud, und hatte ganz wunde Pfötchen vom vielen Laufen. Gleich nach dem Abendbrot ist er eingeschlafen, sogar ohne sein Schlummerbier, und hat so laut geschnarcht, dass Gertrud den Fernseher lauter drehen musste, weil sie sonst von den Nachrichten gar nichts mitgekriegt hätte.

Gertrud kommt dank Arianes laminierter Anweisung mittlerweile auch so gut mit dem Skeip zurecht, dass sie nicht nur mit mir telefoniert, sondern auch unserer kleinen Lisbeth Märchen vorliest. Lisbeth denkt aber, das ist ein Fernsehprogramm, das man ein- und ausknipsen kann, und ist immer ganz traurig, wenn sie das Gerät anmacht und »Oma Gertrud« nicht da ist. Oder sie drückt Oma Gertrud einfach weg, wenn ihr die Geschichten zu langweilig sind. Für die Kinder ist sehr schwer, das alles zu unterscheiden. Gertrud ist aber schon gar nicht mehr so erpicht darauf, dem Kind was vorzulesen, wissen Se, die entdeckt jetzt das Täblätt ganz neu für sich und lädt den halben Tag irgendwelchen Kram runter. Ständig schreibt sie mit fragwürdigen Herren, die sie bei einem »Tinder« kennengelernt hat. Ich habe keine Ahnung, wer oder was das ist, sie tut sehr geheimnisvoll. Das sage ich Ihnen, sobald wir wieder rausdürfen, muss da erst mal Kontrolle machen. Die sollte nicht mit fremden Herren rumpoussieren, sondern sich an ihren Lebensgefährten Gunter Herbst halten! Gunter ist ein feiner Kerl und eine gute Partie, der hat aus Armeetagen noch neun große Pakete Toilettenpapier im Schuppen stehen. Das graue, ganz raue, wissen Se? Trotzdem. In diesen Zeiten! Das ist eine achtbare Mitgift, da soll sich Gertrud mal überlegen, ob sie ihn nicht doch heiratet, wenn er das mit in die Ehe bringt.

Ja, und Ilse liest Lisbeth auch gerne was vor, aber da hat die Kleine geweint und in der Nacht darauf eingepullert, weil es ihr zu gruselig war. Ilse hat Kurt nämlich auf den Dachboden steigen und das Buch vom »Struwwelpeter« suchen lassen (so war Kurt auch wieder ein paar Stunden beschäftigt...). Die Geschichten, die uns die Eltern seinerzeit ohne Hintergedanken vorgelesen haben, können Se ja einem zart besaiteten Kind von heute nicht mehr zumuten. Da werden Daumen abgeschnitten, Tiere gequält, und Kinder ertrinken im Fluss. Ich bitte Sie, da bleibt doch was zurück, wenn man es genau durchdenkt! Ganz ehrlich, wie oft habe ich Alb geträumt als kleines Mädchen, nachdem Oma Strelemann so eine Gruselgeschichte zum Besten gegeben hat. Deshalb konnte ich Lisbeth da auch gut verstehen, dass sie Ilse weggeknipst hat. Ariane hat das mit Ilse in einem Telefonat geklärt. Ilse hat gleich am nächsten Tag selbst auf dem Dachboden nach geeigneten Märchen gesucht, da hatte sie auch was zu tun.

Ja, man muss sich nämlich jeden Tag eine kleine Aufgabe suchen. Meine Hausapotheke habe ich gestern erst durchsortiert, das muss man wirklich ab und an mal machen. Was sich da an ollen Pillen ansammelt! Ich habe Hustensaft gefunden, der war im Juli 97 abgelaufen. Richtig eingetrocknet war das Zeug, aber ich habe es mit ein bisschen Korn wieder flüssig gekriegt. Entscheidend ist, dass man sich die Aufgabe nicht nur sucht, sondern auch erledigt! Wissen Se, es ist ganz wichtig, dass man nicht in den Tag hineinloddert. Man muss sich eine Struktur schaffen und die Zeit so sinnvoll, wie es irgend geht, ausfüllen. Für die jüngeren Leute, die von zu Hause arbeiten müssen, ist das auch wichtig, aber aus anderen Gründen. Die müssen nicht die Zeit totschlagen, sondern sich so organisieren, dass sie alles schaffen.

Ariane sagt, die ersten paar Tage fanden die Mädchen es schön, dass Mama und Papa den ganzen Tag da waren und Zeit zum Spielen hatten, aber recht bald hätten sie ein paar Regeln aufstellen müssen. Nur weil die Eltern da sind, haben sie nicht zwangsläufig Zeit zum Spielen. Da muss sich ein Alltag einstellen, in dem auch gearbeitet wird. Das Geld muss ja irgendwo herkommen, nicht wahr? Das ist für so kleine Kinder natürlich schwer zu verstehen, aber es geht nicht anders. Das müssen die lernen. Ariane und Stefan machen es so, dass sie sich im 2-Stunden-Rhythmus abwechseln mit der Klimperei am Computer. Stefan hat den Kellerraum, in dem die Tischtennisplatte steht, als Büro hergerichtet. Da passen die Laptops rein, und die Tür ist abschließbar. Wir haben ja beim Bau seinerzeit auf solide Unterkellerung geachtet und nicht einfach nur hopplahopp! billig die Wände hochgezogen. So was zahlt sich immer aus. Und so arbeiten sie nun von morgens um sechs bis abends um sechs immer versetzt je zwei Stunden und kommen jeder auf sechs Stunden. Wissen Se, das ist jetzt nicht die Zeit, wo die Scheffs auf die Minute gucken sollten, sondern auf die Ef-feck-ti-vi-tät. Also, was bei rauskommt. Und sowohl Stefan als auch Ariane sagen, dass sie zu Hause mehr schaffen als in acht Stunden im Büro, wo immer wieder ein Kollege mit einer Kaffeetasse in der Hand vorbeikommt und einen ablenkt oder wo ständig Mietings stattfinden, wo lauter Wichtigtuer ihre Floskeln absondern, weil sie nämlich nichts Richtiges zu arbeiten haben und da gerne die Zeit totschlagen, aber anderen die Arbeitszeit stehlen. Jedenfalls können meine beiden jungen Leute gut ohne solche Wichtigtuer leben und schaffen die Arbeit prima. Zumal die Autofahrerei auch noch wegfällt. Die Mädchen müssen nicht in den Kindergarten schoffiert werden, das spart auch Zeit. »Und Nerven!«, sagt Ariane mit Blick auf die anderen Muttis in Lisbeths Wotzäpp-Gruppe.

Na, und wenn einem mal die Decke auf den Kopf fällt, dann bimmeln sie bei mir durch oder erledigen Einkäufe. Ich habe das anfangs nur ungern in Anspruch genommen, aber sie machen das wirklich bereitwillig, und es tut auch dem Familienfrieden gut, wenn einer mal für eine Stunde weg ist.

Beim Einkaufen kommt es ja zu merkwürdigen Situationen. Wenn man seit Jahrzehnten den Luxus von vollen Regalen gewohnt ist, kann man sich das gar nicht mehr vorstellen, dass es was nicht gibt. Nun bin ich keine, die dann einen Aufstand macht. Als ich Ariane nach meinen dänischen Butterkeksen geschickt habe, zum Beispiel, und sie die falschen gebracht hat, da habe ich nicht gemurrt. Und auch wenn es mal keinen Hackepeter gibt zehn Minuten vor Ladenschluss: Dann essen wir eben, was da ist! Meine Güte, verhungern tut schon keiner. Vielleicht ist es ganz gut, dass der eine oder andere ein bisschen ausgebremst wird mit seinen Sperenzien und mal wieder lernen muss, sich zu beschränken. Wir sind doch alle verwöhnt, und da nehme ich mich selber gar nicht aus! Wir müssen die Kirche auch mal im Dorf lassen und daran denken, wie viel schlimmer es früher war, nach dem Krieg. Niemand muss heute Hunger leiden, wir haben keine Lebensmittelkarten und ernähren uns auch nicht von Eipulver, Fischpaste und Trockenmilch. Nee, von diesen Zuständen sind wir weit entfernt. Für eine

Pfeife voll Tabak gingen die Leute auf Reisen damals, und für ein ganzes Päckchen hat man nicht nur einen Pelzmantel gekriegt, sondern die Frau, die ihn trug, gleich noch dazu. DAS waren schwere Zeiten, jawoll. Was wir jetzt durchmachen, ist wie Urlaub dagegen. Das muss man auch mal ganz klar sagen.

Aber zum langen Wochenende, da hätte ich so gerne einen Hefekuchen gebacken. So was habe ich ja normalerweise immer im Froster, wissen Se, wenn ich auf Beerdigungen bin – und mit über 80 ist man das häufiger, als einem lieb ist –, bleibt oft beim Leichenschmaus noch Kuchen übrig. Ich habe eine Tupperdose in ganz dezentem Dunkelgrau … na ja. Jedenfalls habe ich immer Hefekuchen da. Aber nun, in diesen schwierigen Zeiten, wird nur noch in kleinem Kreis und ohne große Kaffeerunde beerdigt. Da ist dann eben auch bei Renate Bergmann mal Ebbe im Froster.

Jedenfalls habe ich Stefan gesagt, dass er mir Hefe mitbringen soll. Der Junge hat schon am Telefon laut aufgelacht und gemeint, das soll ich mir abschminken. Ich habe erst mal so getan, als hätte ich es nicht gehört. Ich dachte, ein Würfel Hefe ist doch nicht zu viel verlangt! Stefan ist so erzogen, dass der nicht gleich aufgibt. Der ist es von mir gewohnt, dass er nicht mit Ausreden und Gejammer ankommen muss. Wenn wir früher Pilze suchen waren, brauchte der bei mir auch nicht mit drei madigen Steinpilzen in seinem Körbchen antreten. Den habe ich wieder losgeschickt! Das steckt so drin, da hat er Respekt vor mir, und deshalb hat er sich nicht entmutigen lassen und ist losmarschiert.

Als Erstes ging er morgens gleich um sieben zum REWE. Der Bub ist ja pfiffig und denkt mit, und so hat er sich überlegt: »WENN es Hefe gibt, dann doch wohl früh am Morgen, gleich nachdem die Läden aufgemacht haben.«

Das ist im Grunde nicht dumm.

Hefe ist ja immer gut versteckt, ich muss da auch meist fragen. Wobei es oft auch schwerer ist, eine auskunftsfähige Verkaufskraft zu finden als die kleinen Würfel hinter dem Quark. Stefan ist also schnurstracks auf eine Auspackerin drauf zu und hat sie nach Hefe gefragt. Die hockte gerade vor einem Karton Joghurt und hätte vor Lachen fast das Gleichgewicht verloren. »Nich lieferbar, junger Mann. Letzte Woche kam eine kleine Stiege Trockenhefe, aber die hat es nicht mal ins Regal geschafft. Ich habe sie aus dem Lager getragen, und auf dem Weg zu den Backzutaten haben mir die Kunden das Zeug schon aus den Händen gerissen. Wann wieder was kommt, kann ich nicht sagen.«

Wie gesagt, Stefan lässt sich nicht gleich beirren. Er hat noch das Backpulver und das Sahnesteif durchgewühlt, in der Hoffnung, ein Tütchen Trockenhefe könnte da reingerutscht sein, aber dann ist er unverrichteter Dinge gegangen.

Er gab mir seine Erfahrungen gleich fernmündlich durch, sagte aber dazu, dass er nicht aufgibt und weitersucht. Der kennt mich eben und wusste genau, dass ich mich so nicht abspeisen lasse.

Während der Stefan auf der Jagd nach dem Backbeschleuniger war, war ich natürlich nicht untätig und habe im Onlein gesucht. Der Kuchenbäcker mit Doktortitel hatte kleine Tütchen im Angebot und hätte die verschickt, tatsächlich – allerdings mit einer Lieferzeit von 8 bis 10 Tagen. Ja, da wäre das Wochenende vorbei, das ging nicht. Beim Ebai gab es hier und da Angebote, aber von Halsabschneidern, denen eine Renate Bergmann nicht auf den Leim geht. Also wirklich! 7 Euro für drei kleine Beutelchen Trockenhefe, da bekommt man ja Schnappatmung! Einer im Interweb hat ausgerechnet, dass das pro Gramm teurer ist als Silber. Überlegen Se sich das mal!

Als ich im Interweb »Hefe« in den Gockel eintippte, las ich, dass man die auch selber machen kann. Dabei kam mir in den Sinn, dass Oma Strelemann das früher auch gemacht hat. In den schweren Nachkriegsjahren mussten wir ja gucken, wie wir zurechtkommen. Ich kramte also Omas Rezeptkladde raus und las nach. Ich brauche da immer einen Moment, bis ich die altdeutsche Handschrift entziffern kann, da muss man sich immer neu reinlesen, wenn man im Alltag nichts damit zu tun hat. Also, passen Se auf, es geht so:

Zunächst nimmt man ein Marmeladenglas mit Schraubverschluss und kocht dies gut zehn Minuten aus. Es muss nämlich richtig sauber und keimfrei sein!

Man füllt alsdann

100 Gramm Weizenbier in das Glas und gibt
1 Teelöffel Zucker sowie
1 Esslöffel Weizenmehl

hinzu. Ganz wichtig ist, dass Se Bier nehmen, auf dem »Flaschengärung« steht. Sonst funktioniert das nicht, der Teig geht nicht auf, und Se backen nur einen großen, flachen Keks.

Das Glas wird verschraubt und tüchtig geschüttelt. Man stellt das für 15 Stunden an einen warmen Ort. Das kann, wenn die Sonne schon wärmt, die Fensterbank sein, oder aber Sie stellen es auf die Heizung. Die Pampe riecht, wenn sie fertig ist, wie ein Seemann nach einer Kneipennacht, aber es funktioniert. Verwenden Se diesen Brei wie einen Würfel Hefe, also, es reicht für ein Pfund Mehl. Erwarten Se bitte nicht, dass es nun Blasen schlägt und wie verrückt blubbert. Der Hefekuchen wird vielleicht nicht ganz so aufgehen wie gewohnt, aber es ist ein Notbehelf, mit dem der Kuchen gut gelingt. Bevor man ganz verzichtet, macht man doch einen Kompromiss, oder was meinen Sie?

Na, aber ich musste gar keine Ersatzhefe ansetzen, denn auf meinen Stefan war Verlass: Nach der Pleite beim REWE ist er als Nächstes zum Bäcker gegangen. Zu vielen Meistern dieser Zunft brauchen Se wegen Hefe ja nicht mehr gehen, die reißen eh nur Tüten mit Tiefkühlrohlingen auf und pusten die heiß, oder bestenfalls rühren sie Backmischungen an mit Enzymen drin, und wir wundern uns dann hinterher, dass wir Allergie kriegen ... na ja. Aber bei uns im Kiez ist noch ein Bäcker, der richtig selbst backt, so mit nachts um zwei aufstehen und Teig ansetzen und allem Drum und Dran. Zu dem ist Stefan hin und hat gefragt. Der Herr Bäckermeister kam auch selbst aus der Backstube in den Laden und erklärte dem Bengel, dass er leider nichts mehr weggeben kann. Auch für ihn als Fachmann war es schwer geworden, Nachschub zu bekommen.

Stefan berichtete, dass ihm eine Frau was zumurmelte. Eine Cousine der Nachbarin, deren Sohn hätte eine Freundin, und deren Lehrerin ... Kreuzberg, türkischer Gemüsemann ... also, so genau weiß ich die Kette nicht mehr, aber es ist ja auch nicht so wichtig. Stefan, mittlerweile schon recht verzweifelt, ist also zu diesem Geschäft nach Kreuzberg und hat freundlich gefragt. Sie werden es nicht glauben: Einen Block von einem ganzen Pfund hat er bekommen, für gerade mal 2,50 €!

Dieses Glücksgefühl kann sich ja gar keiner vorstellen. Gestrahlt hat der Stefan, als er mir den Pfundsblock vor die Tür gelegt hat – natürlich mit Sicherheitsabstand! –, gestrahlt wie ein Honigkuchenpferd. Er hatte mir auch einen kleinen Korn mitgebracht, »Für die Nerven, Tante Renate, und zur Feier des Tages!«, hat er gesagt.

Der gute Junge!

Ich stellte das mickrige kleine Fläschchen zu den Vorräten aus dem Werksverkauf.

Also, man muss nur Geduld haben und auch mal die nicht ausgetretenen Pfade gehen. Die führen nicht nur zum Erfolg, sondern manchmal eben auch über Kreuzberg zur Hefe.

Einen schönen, saftigen Streuselkuchen habe ich gebacken, und den Rest der Hefe – überlegen Se mal, ein ganzes Pfund! Für einen Kuchen braucht man einen Würfel von 42 Gramm! – habe ich portionsweise eingefrostet. Bei Renate Bergmann kommt nichts um.

Wo wir schon bei Mangelware sind, schreibe ich Ihnen auch gleich noch ein paar Tipps zu Nudeln auf. Nudeln sind ja zeitweise auch schwer zu kriegen! Wie sagte Ariane so schön? »Strippties in der Kaufhalle, nichts als nackte Regale!«

Irgendeiner muss die Nudeln ja alle weggekauft haben. Waren Sie das? Dann können Se gleich weiterblättern, dann müssen Se nicht wissen, wie man Nudeln selber macht. Aber für die, die leer ausgegangen sind, schreibe ich hier mal das Rezept auf:

250 Gramm Mehl werden mit
1/2 Teelöffel Salz
2 Teelöffel Olivenöl
1 Ei
1 Schnapsglas Wasser

vermengt. Das ergibt eine sehr feste Masse und man muss tüchtig Kraft aufwenden, damit das alles ein schön geschmeidiger Teig wird. Eventuell muss man ein paar Spritzer Wasser mehr hinzufügen, das kommt immer ganz darauf an, wie groß das Ei war. Wenn aus dem Mehlgekrümel ein fester Teig geworden ist, schlägt man ihn in Frischhaltefolie und lässt ihn im Kühlschrank mindestens eine halbe Stunde ruhen. Es darf auch eine Stunde sein, umso schöner wird er. Nach der Ruhezeit wird der Teig nochmals durchgeknetet, und Sie merken jetzt schon, wie er nicht mehr krümelt und reißt. Er muss schön glänzen, dann ist alles richtig.

Wenn Sie eine Nudelmaschine haben, können Se den Teig nun portionsweise in dünne Streifen kurbeln. Es geht aber auch auf einem Küchenbrett mit dem Nudelholz. Immer schön von der Mitte aus, je dünner, desto feiner werden die Nudeln. Dann schneiden Sie den Teig auf dem Brett mit einem großen Küchenmesser in sehr feine Streifen. Die kommen nur ganz kurz in viel sprudelnd kochendes Salzwasser und sind ruckzuck fertig. Glauben Se mir, es ist nicht nur eine Notlösung, selbst gemachte Nudeln sind ein Gedicht und die Mühe, die die Zubereitung macht, allemal wert.

Wilhelm, mein zweiter Mann und der Vater von Kirsten, mochte keine Nudeln. »Das sind Würmer, die esse ich nicht«, hat er immer gemault. So ein Quatsch. Sonnabends, wenn ich den Haushalt erledigt hatte und es in der Küche schnell gehen musste, habe ich oft Nudeln gekocht. Da dann aber keine selbst gemachten, sondern die aus der Tüte.

Jetzt lachen Se nicht, wenn ich Ihnen aufschreibe, wie man Nudeln kocht. Sie machen sich kein Bild, es gibt wirklich Leute, die da nicht mit klarkommen! Es geht schon mit der richtigen Menge los, und ich gebe zu, dass ich da auch lange Probleme hatte. Aber nun habe ich zwei gute Tipps:

Wenn Sie Spirelli oder kurze Makkaroni oder so was kochen, rechnen Se pro Person eine große Tasse trockene Nudeln.

Wenn Sie Spagetti kochen, greifen Se die mit der Hand. Was man mit Daumen und Zeigefinger umfassen kann, ist ungefähr eine Portion.

Das ist natürlich nur ein Anhaltspunkt. Einer hat eine große Hand, der nächste eine kleine Tasse, und der dritte hat krumme Finger. Es wird wohl immer so sein, dass man Nudeln übrig behält, aber die schmecken gebraten ja auch prima! Gegart werden sie in reichlich Wasser, das sprudelnd kochen muss. Wichtig ist auch, dass es großzügig gesalzen wird. Das Wasser muss versalzen schmecken, damit die Nudeln gut werden. Beim Kochen muss man immer mal wieder mit einem Holzlöffel umrühren, sonst pappt alles aneinander und man hat nur einen verpampten Klops im Topf. Nach ungefähr zehn Minuten sind sie gar. Sie müssen weich, aber noch nicht zerkocht sein. Es ist eine Gefühlssache, wie immer beim Kochen und in der Liebe.

Manche schmeißen ja auch eine Handvoll Nudeln zur Decke hoch und testen so, ob sie gut sind. Wenn sie kleben bleiben, können Se anrichten. Mir

ist das nichts, wissen Se, und man muss auch aufpassen, was man im Topf hat. Die Frau Berber, der
ich davon erzählt habe, hat nicht richtig zugehört
und schmiss dann die Kartoffeln hoch zur Decke. So
eine Schweinerei!

Jetzt müssen wir noch über ein Thema sprechen, das mich ein bisschen verwundert und das im Grunde auch nicht in die Öffentlichkeit gehört.

Ich meine Toilettenpapier.

Nun sagen Se mir mal, was da los ist. Ich verstehe das nicht! Warum kaufen die Leute Häuschenpapier wie die Irren? Mir fehlt da irgendwie der Zugang. Wissen Se, ich habe auch immer ein paar Rollen Vorrat. Mir ist es unangenehm, da so große Packen durch die Stadt zu schleppen. Es ist doch ein Utensil, das nicht öffentlich präsentiert gehört, finde ich. Deshalb kaufe ich, wenn mein Vorrat zur Neige geht, beim Wochenendeinkauf mit Ilse und Kurt ein Päckchen mit acht Rollen. Im Kofferraum von Gläsers Koyota ist das Zeug weniger präsent, als wenn ich es auf dem Rollator durch die Stadt fahre. Ich möchte da gar nicht auf die richtige Dosierung eingehen, weil das Thema nun wirklich nicht besprochen gehört, aber ich komme mit meinem Vorrat mehrere Wochen hin. In meiner kleinen Badestube ist auch gar kein Platz, um da jetzt Türme oder Burgen aus Klopapierrollen zu stapeln! Vielleicht bin ich ein Einzelfall, aber andere Leute scheinen einen höheren Verbrauch zu haben.

Als Stefan neulich wieder fragte, was ich brauche, fiel mir ein, dass ich bei vier Restrollen angekommen war, und ich sagte ihm, obwohl es mir unangenehm war: »Junge, bring mir doch noch ein Paket Toilettenpapier mit.«

Stefan lachte wie bei der Hefe hysterisch auf.

»Tante Renate, wo lebst du denn? Toilettenpapier ist Goldstaub. Wenn es das mal gibt, wird es nur in kleinen Päckchen von zwei Rollen pro Person abgegeben.«

Na, da staunte ich aber nicht schlecht! Man kriegt das ja gar nicht so mit, wenn man nur drinnen ist, aber da draußen ist offenbar die große Schlacht um das Lokuspapier losgegangen. Ich hatte mich schon gewundert, als ich am Vortag Frau Meiser völlig derangiert nach Hause kommen sah. Die Haare waren verstrubbelt, die Lippe aufgebissen und der Hacken von ihrem linken Pömps abgebrochen. Sie hinkte den Gehweg entlang und schleppte ihre große Einkaufstasche hinter sich her. Wie eine Trophäe hielt sie mit der anderen Hand ein großes Paket Toilettenpapier hoch. Ich habe die Meiersche nur vom Balkon aus gesehen und wollte nicht als neugierig gelten, deshalb habe ich nicht gleich nachgefragt. Stefan berichtete aber, dass es am Vortag einen Vorfall gegeben hat im ALDI, wo ein älterer Herr einer Dame wohl an den Einkaufswagen gegangen ist und sich da bedienen wollte. Es kam zu einer tätlichen Auseinandersetzung. Das muss sie gewesen sein!

Da bleibt einem ja wirklich die Spucke weg. Allerdings soll der olle Bock mal froh sein, dass er nicht auf die Berber getroffen ist. Die kann nämlich Judo, die hätte den gleich mit einem O-Goshi in die Palette mit den Nougateiern geworfen. Nee, ich sage Ihnen, verrückte Zeiten sind das.

Nur verstehe ich nicht, warum die Leute ausgerechnet Toilettenpapier kaufen? Wenn ich die Herren Professoren und Doktoren richtig verstanden habe, ist der Conora doch eher grippeähnlich? Was kaufen die Leute dann, wenn mal eine Durchfallepedemie kommt, frage ich Sie? Hustenbonbons? Ich habe das gleich mit Gertrud besprochen, als wir am Abend fernsehtelefoniert haben mit dem Skeip. Gertrud ist sehr böse auf die Leute, die ohne Rücksicht auf andere so viele Rollen bunkern. Sie wünscht jedem so viel Durchfall an den Hals, dass er das gesamte gehamsterte Klopapier auch in einer Woche braucht.

So richtig versteht es ja keiner, neulich haben se im Fernsehen sogar eine Psychologin befragt, was dahintersteckt, dass die Leute so viel Papier kaufen. Ich habe mich sehr gewundert, dass die als Mackendoktor nichts Besseres zu tun hat, als solche Dinge zu analysieren.

Der kleine Berber, der Jens-Dieter, der ist letzthin auch mit einem großen Paket Toilettenpapier die Treppe hoch. Das würde ich aber nicht Hamstern nennen; wissen Se, wenn die Mutter jetzt zu Hause ist und jeden Tag kocht, wird der Junge das brauchen.

Aber wenn Se nun zu viel von dem Kram haben und Ihnen auch ein bisschen langweilig ist, dann häkeln Se doch Hütchen für die Rollen!

Irgendwo muss man ja hin mit dem ganzen Toilettenpapier, nicht wahr? Es muss ja einer gekauft haben, tun Se nicht so, Sie waren bestimmt auch dabei! Es ist auch kein Vorwurf, man wird da mitgerissen und denkt sich: »Wer weiß, wann wir wieder rauskommen zum Einkaufen … Wie viel haben wir eigentlich noch zu Hause? Wenn die alle welches kaufen, gibt es bestimmt keins mehr, wenn wir wirklich welches brauchen … ach, lass uns mal lieber noch ein Paket mitnehmen!«

Das ist wie eine Spirale, es fängt ganz harmlos an, und am Ende hat jeder genug für zwei Monate Dauerdurchfall in der Badestube stehen. Bestimmt verfluchen die meisten nun die großen Pakete, die einem vor den Füßen rumstehen, und denken: »Hoffentlich nimmt das bald ab.«

So geht es meiner Freundin Ilse auch. Ich will hier gar nicht weit abschweifen, das habe ich schon mal erzählt, deshalb nur ganz knapp: Da Kurt so gerne im Werksverkauf Restposten erwirbt, haben Gläsers 8000 Rollen Häuschenpapier in der Schlafstube stehen. Ich betone: Das hat Kurt schon lange vor Conora angeschafft, das hat nichts mit Hamstern zu tun. Es hat auch schon abgenommen, es sind bestimmt schon 100 Rollen weg. Ilse verschenkt großzügig, weil sie immer die Hoffnung hat, eines Tages wieder an ihren Kleiderschrank zu kommen. Aber sind Se mal ehrlich, wie viele Leute kennt man denn, denen man einfach mal so ein paar Rollen Toilettenpapier mitgeben kann, ohne dass es peinlich ist? Deshalb häkelt Ilse nun diese Hütchen, die man über die Rolle ziehen kann. Kennen Se die? Viele haben das auf der Hutablage im Auto stehen, für den Fall, dass unterwegs mal was ... erledigt werden muss. Das ist immer ein schönes Geschenk, darüber freuen sich die Leute fast wie über Topflappen. Es muss auch nicht für die Hutablage im Wagen sein, sondern macht sich auch auf der Ersatzrolle im Badezimmer sehr hübsch.

Passen Se auf, es geht so:

Benötigt wird zunächst eine volle Klorolle zum Maßnehmen. Das ist im Falle von Ilse ja kein Problem. Weiterhin braucht man Garn und eine passende Häkelnadel. Hier kann man wunderbar Reste verarbeiten, man braucht ja nicht viel. Angefangen wird mit dem Deckel. Als Erstes werden einige Luftmaschen mit einer Kettmasche zu einem Ring geschlossen. Am besten eignet sich ein Muster aus Stäbchen und Luftmaschen, damit die Struktur des »Mützchens« locker bleibt. Nehmen Se bei jeder Runde ein paar Maschen zu, damit das Scheibchen größer wird. Es sollten so viele Runden in diesem Verfahren gehäkelt werden, bis die gehäkelte Scheibe so groß ist wie der Durchmesser der Häuschenrolle. Um die senkrechte Seite zu erhalten, dürfen Sie nun keine Maschen mehr zunehmen.

Es wird nun so lange weitergehäkelt, bis die Höhe

der Rolle erreicht ist. Da müssen Se immer mal wieder probieren und aufhören, wenn es passt. Jetzt müssen wieder Maschen zugenommen werden, damit die Hutkrempe entsteht. Je mehr Maschen, desto welliger und hübscher wird die Krempe.

Zum Schluss wird noch ein Schleifenband zur Zierde kurz über der Krempe durchgezogen. Machen Se eine hübsche Schleife, und schon ist ein wirklich zauberhaftes Geschenk fertig! Das ist doch keine große Mühe und häkelt sich beim Fernsehgucken so weg. Wenn man weiß, wie die Person eingerichtet ist, die das Hütchen kriegen soll, kann man es farblich passend zum Toilettensitzbezug gestalten, da ist die Freude dann immer besonders groß. Es ist doch immer schön, wenn der Beschenkte sieht, dass man sich Gedanken gemacht hat.

Ilse ist so schon fast 15 Rollen losgeworden, und wenn alles gut geht, wird sie übernächstes Weihnachten wieder an ihre Sommerschürzen kommen.

Wissen Se, als ein paar Wochen rum waren, da fiel mir doch zunehmend die Decke auf den Kopf. Man muss auch mal über die Stränge schlagen! Und so bin ich eines Morgens in aller Herrgottsfrühe eine Runde spazieren gegangen. Das ist nicht verboten, aber wegen der besonderen Gefahr für uns Alte hatte ich Ariane, Stefan und auch Kirsten in die Hand – oder besser gesagt in den Skeip – versprochen, dass ich drinbleibe.

Aber ganz ehrlich, ich brauche auch meine Freiheit. Nur ein ganz kleines Stück! Und so habe ich mir den Mantel angezogen und bin, als noch alles schlief, einmal ums Haus spaziert. Ganz für mich allein, ich bin niemandem begegnet. Ach, es war herrlich. Nach Wochen mal wieder was anderes zu sehen als die eigene Tapete oder Katerle, wie es sich untenrum leckt, das tat der Seele sehr gut. Die Vögelchen sangen ihr Lied und kündeten vom Frühling, der nun drängte, seine Kraft zu zeigen. Frühling ist ja immer Neuanfang. Alles geht von vorne los, aus Grau wird Grün, aus trauriger, düsterer Wintermelancholie wird Zuversicht und Lust auf Neues.

Ich habe ganz tief durchgeatmet und viel von der frischen Luft getankt. Dann bin ich hochgegangen in meine Wohnung und war wieder vernünftig. Aber dieser kleine Ausbruch, der musste einfach sein.

Ich wünsche Ihnen und auch mir ganz fest, dass wir ganz bald wieder unsere Lieben gesund in die Arme schließen können und unseren Alltag zurückbekommen. Vielleicht nehmen wir ein bisschen was von dem, was wir gerade lernen und erfahren, mit in das Leben »nach Conora«. Man macht doch, bei allen Einschränkungen, auch schöne Erfahrungen. Vielleicht lernen wir ja auch was?

Es ist doch beispielsweise rührend, wie sich die Leute umeinander kümmern, wenn es wirklich dicke kommt. Wie oft habe ich Anlass, mich über die Damen hier im Haus zu ärgern, die Frau Berber und die Meisersche dazu. Aber in diesen Tagen kann ich mich auf sie verlassen. Die Meisern hat sich sogar angeboten, die Treppe für mich mitzumachen. Was meinen Se, was ich mich erschrocken habe, als ich die feine Dame am Sonnabend in aller Frühe mit dem Wischeimer durch den Flur hab feudeln sehen! Ich bin ganz leise zum Türspion, weil ich dachte, es wären Einbrecher zugange, aber es war der dicke Hintern von Frau Meiser, der sich mir entgegenreckte. Ich dachte kurz, ich hätte eine Marienerscheinung! So was war noch nie, dass die freiwillig geputzt hat, und schon gar nicht um diese Zeit. Wenn sie sonst mit der Reinigung dran ist, lässt sie es meist Nachmittag werden, bevor sie sich lustlos ein bisschen mit dem Wischeimer durch den

Flur bewegt. SCHON, UM MICH ZU PROVOZIE-REN!

Vielleicht nehmen wir solche Dinge mit, die Achtsamkeit, das nette Wort, die freundliche Geste. Das Füreinander-da-Sein. Lassen Se es uns zu einer schönen Zeit machen, in der wir uns hoffentlich ganz bald wieder lesen und sehen.

Passen Se auf sich auf und seien Se herzlich ge-grüßt von

Ihrer Renate Bergmann

P.S. Heute muss ich wirklich mal überschlagen, wie weit ich mit dem Korn noch reiche.

Renate Bergmann

Ans Vorzelt kommen Geranien dran

Die Online-Omi geht campen

Unterhaltung.
Taschenbuch
Auch als E-Book erhältlich.
www.ullstein-buchverlage.de

Des Campers Fluch ist Regen und Besuch!

»Wissen Se, Urlaubszeit ist doch die schönste Zeit! Ich
hör Sie schon sagen: Frau Bergmann, Sie als Rentnerin
haben doch immer Urlaub!, aber das ist Unsinn: Wenn
man sich wirklich erholen will, muss man mal raus.«
Renate Bergmann packt die Badehose, die Grillzange
und das Handy ein und geht campen. Freuen Sie sich
auf Renates Abenteuer mit Kurt und Ilse und dem mie-
sepetrigen Platzwart Günter Habicht!

ullstein